オン・ビーイング・ミー
〜「私」って何?〜

A Personal Invitation to Philosophy

J.デイヴィッド・ヴェルマン=著
青木滋之=監訳　黒澤里吏=訳

NEWTON PRESS

オン・ビーイング・ミー
～「私」って何？～
A Personal Invitation to Philosophy

はじめに

人であるとはどういうことなのだろう？　私にとって哲学は，この不可解な謎から始まります。人であるとは何だろう，とじっくり検証しだすと，何かとても信じがたいようなものに思えてくることがよくあります。だから私は，なぜ，人とはこんなものであると思えるのかを，知りたくなるのです。こういった謎について，私には一人称的に考えるよりほかありませんでした。つまり，人であることがどういうことか，自分が直に見知っている観点から考察してきたわけです。人であることがなぜ，私にとってはこのように現れてくるのかという疑問を解くべく，ほぼ40年もの歳月を費やしてきました。

そうした長年にわたる考察の日々を通して，私は，哲学のプロの研究者であり教員でもある公の立場から，執筆活動を行ってきました。人であることをめぐる不可解なさまざまな謎について，個人的に抱えた難問というよりも，学問的な課題として取り組んできたのです。しかしここでは，学問はさておいて，あくまで一人称的な立場で，こうした難題に対する考察として私自身が考えてきたことを，書き綴っていこうと思います。

ただし，哲学的伝統に何も負っていないと主張するものではありません。この研究分野に慣れ親しんでいる読者なら，ここに出てくる思想がヘラクレイトスに始まり，現在の私の同輩たちにまで及んでいることに気づくでしょう。同時代，またはほぼ同時代で私が多大な影響を受けているのは，エリザベス・アンスコム，マイケル・ブラットマン，ダニエル・デネット，ガレス・エヴァンス，ハリー・フランクファート，ギルバート・ハーマン，クリスティーン・コースガード，アイリス・マードック，トマス・ネーゲル，デレク・パーフィット，ジョン・ペリー，バーナード・ウィリアムズです。歴史上の哲学者では，アリストテレスとカントから多くを学びました。また，ジョン・ロックとウィリアム・ジェームズからも重要な点で負っており，そうした影響なしには上梓《じょうし》できなかったでしょう。哲学の分野以外では，ジークムント・フロイト，プレスコット・レッキー，ウィリアム・スワン，そしてカート・ヴォネガットが，私の思想の源です。私はこれまで，学術出版物において，至るところでこれらの思想家たちを引用してきましたが，本書巻末の「おすすめの本」でもいくつか挙げておきました。

本書での一人称的な考察は，人であることのすべての側面に及んでいるわけではありません。とくに，私がここで採用している内省的な方法に適さない題材である，他者との関係は扱っていません（一人称を超えた人間間の関係については，以前の著作『社会でどう生きていくか（How We Get Along）』で論じました）。

私という人であることは一体何なのだろうと，あれこれ探求し

ていくと，考えがこんがらがっていきます。人というものは，複雑に入り組んでいるような存在ですから仕方ないですよね。人に特有な自己意識は，自己を意識することのみならず，自己意識への意識をも呼び起こしますから，哲学の探究者は，鏡が全面に張り巡らされたミラーハウスへと足を踏み入れるが如く，たちまち混乱してしまうのです。読者のみなさんも，その都度，壁に突き当たることがあるかと思いますが，そこで挫折しないよう願っています。

私はもともと，本書に出てくるいっそう複雑な箇所については，理解を助けるために図解を添える必要があると考えていました。そうした中で，エミリー・バーンスタインのスケッチブックをオンラインで偶然見つけて，彼女なら，哲学の解説を助けると同時に，それ自体で見る人の目を楽しませるアートワークを創作できると思いました。私はエミリーに草稿を読んでみてもらい，そこから感じ取ったイメージを描いてもらいました。願わくは，読者のみなさんにも同じようなイメージが伝わればと思っています。

本書を読んだアカデミックな哲学者たちは，おそらく「でも，議論らしい議論がないじゃないか！」と言うことでしょう。そこで, 先に私から言わせてください。議論らしきものはありません。ここにあるのは，私にとって人とはどういうものなのかという所見と，なぜそう思えるのかの思弁的な考えのみです。

そうした所見や考えのほとんどは，私の過去の学術的な出版物にも登場しており，ときには，多少なりとも形式的な議論によって支えられていた類のものです。私は長年，議論は読者を説得するためのものだと考えていたのですが，それから，ほとんど説得される人などいないことがわかったのちに，不思議と議論など気にしていない自分に気づきました。そこでやっと，自分はこれまでずっと, 私的な探究について報告していたにすぎなかったのだ, 人生を吟味しながらさまざまな断想を書き綴ってきたわけか，と悟ったのです。私がずっと強く望んできたこと，それは，こうした私の断想が一般的に人々にとっても真理であるという証明が仮になかったとしても, 人々にとって関心あるものであって欲しい, ということでした。

本書での自身に語りかけるような独白が，デカルトの『省察』のそれと似ていることはわかっていて，きまりの悪さも感じています。21世紀のデカルトを気取るなんて，とんでもない。私はただ，徹底的に哲学するデカルトの挑戦を受けて立ったまでだ，と思いたいものです。

1

生まれてよかった

私が生まれたのは両親のおかげです。

といっても，両親はこの私を産もうとして私を授かったわけではなく，生まれてくる子がこの私になると知っていたわけではありません。まだ受胎もしていない子に「この私」なるアイデンティティが発現するべくもなく，実際のところ，どうなるか何もわかっていなかったのです。

こうしてみると，私という存在は，何も両親のおかげというわけではないのかもしれません。両親は単に，生命という喜びの品《ギフト》を，もともと何もなかった空間にぽんと投げ入れたにすぎず，その生命を受け取る者が，肉体をともなって現れ出てくるのを望んでいただけなのです。

ひょっとすると，私の生命は，喜びの品《ギフト》でさえなかったのかもしれません。それ以前の私や，成り得たほかの私などに比べてよかったわけでもないからです。私も，別の私でも構わなかったでしょう。今でも，私など決して存在しなかったと考えたとしても，どうということはありません。ただ，存在するのをやめていいのかと言われると，また話が違います。

2
在り続けたい

私は存在してしまったのだから，このまま在り続けていきたい。

普通に考えると，私の体に息が宿っている限り，私は存在し続けるのでしょう。でも，肉体が私を置いて生き長らえる，なんてことはないのでしょうか。たとえば，もし認知症で記憶障害に陥ったり，昏睡《こんすい》状態になって意識が途絶えたりしたらどうでしょう。こういった将来について思いをめぐらせてみると――いや，私にとってみたらこういった状態は，本当に「将来」と言えるのか，ただ，将来も何もないようなものなのか，よくわからないんですけどね。先のことを考えてみても，そのようにすっかり様変わりした状態について見通すのは難しいもので，それだけに，認知症や昏睡状態になっても呼吸を続けている場合，私はまだ存在しているのだろうかと不思議な感じがします。

これとは逆の発想で，私は不滅の魂という形でもって，肉体を置いて生き長らえるのだ，と言う人もいるでしょう。しかし，たとえ私に魂があったとしても，ここでその魂の存続が意味をもつのは，それが私である限りで，というただ一点の理由においてのみです。私にとって大切なのは，私であり続けるということなのです。

でも，それはどういうことなのでしょうか。

この問いに目を向けた途端，つかみどころのないような感覚に襲われます。肉体や魂，あるいはその他の私として存在しているものを除いて，私であり続けるものなんて一体あるのでしょうか。私自身であることについて何をどんなに考慮しても，存続していることが私であり続けることを意味しない限り，どうでもいいものに見えてきます。そして結局また振り出しに戻ってしまい，私が存続するって何なのだろうと頭を抱えてしまいます。「私であること」の条件とは何か。将来，たとえば認知症になってしまった私の中で，肉体や魂とともに引き継がれるもの，あるいは引き継がれないものとは何なのか。それがわからない限り，私の肉体，私の魂，あるいはほかの何ものかが永続するのに，何を拠り所とすればいいのか，私にはわからないのです。

そこで，（私は存続などしないという）ゾっとするような可能性には目をつぶったうえで，私は問いたいのです。紛れもなく私であるその将来の人物について，その存在を私たらしめているものとは，正確には何なのかと。

でも，そのように問うと，答えは取るに足らないものになってしまいます。私であるということはまさに，ここに存在しているということで，一般的な存在の仕方を指しているのではまったくない，ということです。

「ここ」は，場所を示します。つまり，アメリカ合衆国，10003,

NY，ニューヨーク，ワシントン・プレイス５番地です。「ここ」という言葉は，ワシントン・プレイス５番地を示しています。なぜならそれが，この言葉が使われている場所だからです。しかし「ここ」は，その言葉が使われている場所として，ワシントン・プレイス５番地を記述しているわけではありません。いかにも，人差し指を伸ばして指し示しているかのように，単にその場所を選び出しているにすぎないのです。

同じように，「私」は，「私」という言葉を使っている人を選び出しているだけです。親指が黙ってその持ち主の胸元を指しているようなもので，その人のことを記述しているわけではありません。ですから，私であるために必要なものは何かという質問に対して，答えは，何もないということになりかねません。

では，明日，私のベッドで目を覚まして，私の服を着る人についてはどうでしょう。心の中で，親指のジェスチャーを使ってその人を指し示すこともできないのに，どうして私はその人を「私」と呼べるのでしょうか。

いや，呼べますよね？　私はたった今，確かに親指で自分をつつくことができますし，その人は，私が今つついている人物と，同じ人物になるわけですから。

でも，はたして私は存在し続けていくのかという問いからすると，この人の存続は，肉体や魂の存続と同じで，私が存続し続けるには決定的でないように思われます。私は，たとえ自分が同一人物としてやっていかなくとも，私であり続けることについてあ

れこれ考えられるのです。この人と離ればなれになるのを想像することは，この肉体と離ればなれになることよりも難しいですが，それでも想像できないことはありません。実際，就寝中ではあったのですが，そうしたことがありました。以前，自分がソクラテスだった夢を見たのです。そして目が覚めてから，それを自分が存在しなかった夢として思い描くことはありませんでした。たとえソクラテスとしてであっても，私は絶対その夢の中にいたのです。ということは，どうやら私は，私でありながらも，デイヴィッド・ヴェルマン以外の誰かであることを想像できるのです。これ

と同じように，「自分が別の人物だったときの過去の人生を覚えている」と言う人もいます。たとえば「自分は14世紀に騎士だった」とか，「19世紀に女性参政権をめぐって抗議活動をした婦人参政権の活動家だった」といった具合に。

もちろん，私がソクラテスであったのはただの夢ですし，自分には過去の人生があったのだと言う人たちも，思い違いをしているだけでしょう。こうした経験談は，別の人物であることが現実的に可能だということを示すものではありません。しかし，そうしたことが最も抽象的な形で考えられるというだけでなく，細部にわたって具体的に想像さえできるということも，確かに示しているのです。それだけで，私の存続が，デイヴィッド・ヴェルマンの存続でもあるかどうかにかかわらず，私にとって意味があると言うのに十分でしょう。まったく存続していかないよりも，ほかの誰かとして存続していくほうがマシですよね？

しかし，自分が別の人物だと思っているあいだ，私は何を考えているのでしょうか。

まずは，存在し続けることについて，よくある事例から考えてみましょう。今，私はオフィスで仕事をしているところですが，たった今，「このまま仕事を続けよう。そして，1時間後にやめて昼食にしよう」と思ったところです。私は，「私」が1時間後にとるであろう行動を計画したのだから，明らかに，少なくともこの先1時間は私であり続けると思っています。

でも，この計画に出てくる二つの「私」(「仕事を続ける私」と

「やめて昼食にする私」）が指すものは，完全には一致していませんでした。前者の「私」は，私がそれを思ったときの私に言及しており，後者の「私」は，1時間後に仕事をやめて昼食をとりにいく人に言及していたのです。もちろん，昼食をとりにいく人は，仕事をしながら計画を立てていた人と同一人物になります。でも，その二人の「私」が同じ人物であるというのが，私がその人のことを「私」と呼ぶ理由なのでしょうか。私は，私が誰なのかとか，その人が誰になるのかなどと考えていたわけではありませんから，二人がアイデンティティを共有していたことに基づいて，その人と「私」という代名詞を共有したわけではないと思うのです。それではなぜ，私はその人のことも「私」としたのでしょうか。

確かに，私が考えていたのは1時間後に仕事をやめるという計画ですが，計画というのは記憶の中に置かれて，のちにそれが実行されるときが来たら回収されるものです。そしてその計画は，私の記憶の中で変化しないまま，ただそこに留まっているわけではありません。この先1時間にわたって，時計に目をやるごとにその計画は更新されていき，おおよそ30分後には「あと30分で私は仕事をやめる」となり，次第に「あと10分で私はやめる」，「もう間もなく私はやめる」となっていくわけです。こうした更新は，その都度新しく下された決定ではなく，継起する時間の中で言い直されていくだけの，当初の計画の単なるアップデート版です。この先1時間が過ぎていく過程で，当初の計画は，タイマーがゼロに達するまで，つまり「今，私はやめる」となる「今」の時点までカウントダウンされて，そこに到達して初めて実行される状態となります。

思うに，そもそもその計画の中では「1時間後に『その人』がすること」とも言えたのではないでしょうか。更新された計画とともに，実行に移す時間を「今」と呼ぶことになる，未来の主体を意味する「その人」です。しかしそうすると，その時点でまた「その人」から「私」への代名詞の更新が必要になってしまいます。「今，その人はやめる」ということになると，その人は「誰？『私』のこと？」なのかと，いまだ問い続けることになるからです。つまり，今から昼食時間までの1時間を計っていくにあたり，その都度時間を更新していくのは役立つでしょうが，「その人」を「その人」に更新していっても何も役に立たないのです。そのときが来たら私は，一人称代名詞（「私」）の指示対象となる未来の主体に，計画された行動の実行を結局委任することになるのですから，計画の中でそもそも最初から一人称代名詞を導入した方がよかったのです。考えてもみてください。頭の中でカウントダウンがゼロに達する，計画の最終更新を考えるその人以外に，一体誰が私の計画を実行できるというのでしょう。そして，頭の中でそれを思うことになる人，つまり一人称として以外に，誰がその者となり得るのでしょう。私には，計画を実行するときが来たときにそのことを思うことになる人の思考を，一人称的に思い描くことができるわけで，その未来の主体は，私が一人称的に考えられる人にほかならないのです。

この「私」という代名詞は，未来の時空間に向けて放り投げる釣り針のようだ，とでも言いたくなります。あたかも心の中の親指でその人を指し示しているかのように，私はその人自身の視点からその人に呼びかけて，該当者がその釣り針に引っかかってほしいと願っているのです。ただ，実のところ，引っかかってほしいと思っている特定の人がいるわけではありません。該当者は，私が「私」という釣り針で捕らえることができた人，つまり，最終的に「今，私はやめる」と思うことになる人，そしてそう思うことで「私」を奪い取ることになる人なら誰でもよいのです。その人が私になるから，その人に計画を実行してもらおうとしているのではありません。むしろ，その人こそが計画を実行してくれると私が期待できる人ゆえに，その人は私になるのです。

この一人称の使い方は，私が留守番電話の着信メッセージで使っている二人称に似ています。「あなたがお掛けになっているのは，デイヴィッド・ヴェルマンの携帯電話です」というメッセージは，それを聞くことになる人に向けて語られているために，メッセージの聞き手の立場である「あなた」に向けられているのです。

先ほどの計画でも，「あなたが，正午になってまだ仕事をしていたら，やめて昼食にしましょう」などと，二人称的な言い方もできたかと思います。「あなたは，正午にお昼の休憩を取りましょう」と，紙にメモしておくことさえできたかもしれません。でも，計画というものは，書き留めたメモとはちょっと違います。

メモに書き留めた計画を実行することになっている人は，正午にそれを読んでいる人，つまり「あなたのお昼休憩」と二人称的に語りかけられる，メモの読者となります。他方で，私が，私の計画を実行してもらう人として委任しなければならない人は，正午にそれを思う人であり，「私は（仕事を）やめる」というように，一人称的に語られる人です。

要するに，「私は仕事を続けて，1時間後に私は仕事をやめる」という中では，「私」が二通りに使われているということになります。最初の「私」は，今そう思っている人を指しており，そして二つ目の「私」は，そのことを覚えていて，のちにそのことを思う人を指しているというわけです。この場合，結果として二人は同じ人物になりますが，双方に「私」をあてがった時点では，これらの存在が同一人物であることを当てにしていたわけではないのです。

計画を10分後に更新するとき，私は現在ここに座って仕事をしていて，時計の針は11時を指し，一文を書き終えておらず，12時までまだ1時間あるという，まさに今この瞬間の経験を記憶しているでしょう。その記憶は，そうした経験の主体を示すわけではなく，11時を指す時計，書きかけの文，頭の中の昼食といった，経験された物事を示すものにすぎません。でもその記憶は，そうした物事がある主体によって——思い出される光景，音，思考といったものを見，聞き，考えるところの，不可視の主体によって——経験されていることを暗黙裡《あんもくり》に表しています。よって，ここでは二つの主体が関与しているわけです。この瞬間を思い出している主体と，経験の主体として思い出される主体。前者は記憶の主体，後者は記憶の中の主体，とでも言えるでしょう。たとえば「私は，私が11時に時計を見たときのことを覚えている」という場合，最初に現れる代名詞（「私は覚えている」の「私」）は前者の，外界の主体であり，あとで現れる代名詞（「私が見た」の「私」）は後者の，内界の主体ということになります。

これら二つの主体は実際には同一人物であるものの，この発言における文法は，必ずしもそうであることを要求しません。それは「私は，私がソクラテスだった夢を見た」の文法が，二人の異なる人物を指していたのと似ています。前者の「私」(「私は夢を見た」の「私」)は，実際にその夢を見た主体であるデイヴィッド・ヴェルマンを指していましたが，後者の「私」(「私がソクラテスだった」の「私」)はデイヴィッド・ヴェルマンを指していたわけではありません。私は，デイヴィッド・ヴェルマンがソクラテスだったという，あたかもソクラテスが1952年に生まれ変わって改名したかのような夢を見たのではありません。夢の中に落ちてゆき，デイヴィッド・ヴェルマンであるという意識もなく，わかっていたのはただ，自分がソクラテスであることだけだったのです。

そう，後者の「私」(「私がソクラテスだった」の「私」)は，夢そのものに従えば，夢の中の主体であって，その夢の世界で生きていた人を指していたのです。そしてその人は，その夢の主体，つまりその夢を見て，今は起きていて，夢で見た存在を「私」という代名詞で特定していた人とは，異なっていたということになります。

しかしどうして私は，「私」という一人称代名詞を使って，それを使っている私ではないほかの誰かを，指すことができるのでしょうか。

思うにその夢は，ソクラテスがその内界の，つまり夢の世界の主体であることを，なんらかの形で示唆しているに相違ないでしょう。そして，そうしたことが夢の中で現れ出る唯一の方法とは，主体の心の中で――「私はソクラテスである」という思考が存在していたに相違ないところで——現れ出てくることだったのです。言い換えれば，私は，自分がソクラテスであるという意識とともに，その夢の世界に住んでいる夢を見たに違いありません。

何かを見たり，聞いたり，思ったりするとき，実のところ私はいつも，その何かを見ている，聞いている，思っている人になっているという意識があります。その経験には，自分がその経験の主体になっているという自覚も含まれているのです。そして「私が見る」「私が聞く」「私が思う」ものを私が伝えるにあたり，その自己認識は，「私」という一人称代名詞で表現されます。その代名詞によって指されている人物は，その見るもの，聞くもの，思うものの内界の主体，つまり，経験そのものに埋め込まれている自己認識によって，そうしたものの主体として示される人です。その内界の主体は通常，それを実際に経験している主体，つまり外界の主体と同じですが，夢の場合は当てはまりません。夢では，その夢を実際に見ている人以外の誰かによって経験された世界が表象されることがあるのです。そこでの「私が見る」「私が聞く」「私が思う」を，夢の中の「私」である人物の自覚で補うことで，異なった内界をもつ主体を指すことができるのです。確かに，「私は，『私がソクラテスである』夢を見た」と，『　』の引用符で括《くく》った部分を両手の二本の指を立てて（チョンチョンとやって）言うこともできたでしょう。しかし私は，「『私がソクラテスである』夢を見た」という直接引用を，「私がソクラテスであった夢を見た」と，一人称代名詞はそのままにして間接話法に置き換え，私がソクラテスの一人称的な視点からソクラテスの夢を見た，と言うこともできるわけです。

夢についてはここまでにしましょう。この夢の話は，私が11時に見て，聞いて，思ったことの記憶のアナロジーとしてもち出したにすぎませんから。それを完全な形で述べるなら，私が思い出すことになる心の状態とは，デイヴィッド・ヴェルマンであることを自覚しながら，物事を見たり，聞いたり，思ったりする状態だ，ということになるでしょう。ただし，この最後に加えられた自覚の記憶のことについては，言及せずともよいでしょう。

むしろここで見逃せないのは，思い出された光景や音，思考の中に埋め込まれている自己認識です。自分が覚えていることを描写していくとき，その自己認識は「私が見た」「私が聞いた」「私が思った」のだと，一人称代名詞を使って表現されます。この「私」という代名詞は，そのことを覚えている記憶の主体によって，記憶の中の主体，つまり，その光景や音，思考を自らが経験したものとして覚えている主体を表示するべく，用いられます。当然，これら二つの主体はまったくの同一人物であると考えられます。そして，私が見たり，聞いたり，思ったのを覚えているのだと描写した以上，そうしたことを自覚したのが誰であると覚えているのか，付言するまでもないでしょう。しかし，この「二人の私」が同一人物だという前提は，先ほどの夢の例でも見られたように，場合によっては否定され得るのです。

記憶の中での内界の主体を「私」と呼べるということは，思い出される経験の主体である本人の自己認識よりも多くのことを語っています。つまり，それはまた，外界の主体である私にとって，経験を思い出すとはどういうことなのか，という側面を表すものでもあるのです。

60年前に祖父と一緒にエンパイア・ステートビルを訪れたときのことを思い起こすと，屋上の手すり越しに見た風景の記憶はもはや心象風景ではなく，それは言わば窓であり，自分は今でも，その窓を通して当時の場面を見ているように思われます。私は，あたかも6歳の自分の肩越しにその風景を眺めるかのように，記憶の中の自分の背後に立って，少し高い位置からその窓をのぞき込んでいるようなのです。そして，再びその6歳の自分になるために，その記憶の窓をよじ登って通り抜けようとする様が大体イメージできるのです。

そう考えると，他者として過去の人生を生きたという人のことが理解できます。そういう人たちは，国会議事堂の柵に自分を鎖で縛りつけて抗議活動を行っている姿，あるいは甲冑《かっちゅう》を身に着けている姿といった心のイメージを抱いていて，そのイメージが，単なる想像の寄せ集めではなく，あたかも記憶から直接送り届けられたかのように，とっさに頭の中をよぎるのでしょう。だから，過去の人生を生きたという人たちは，そのイメージが実際の過去の経験から生じたもので，記憶という内界に潜んでいる「私」が，実際にいた人を指していると思うのです。自分の頭の中を駆け抜けるものを伝えるにあたって，「自分がサフラジェット（イギリスの婦人参政権運動の急進派）だったときのことを覚えている」とか，「甲冑をまとった騎士だったときのことを覚えている」と言うのは，ごく自然なことです。もしそのイメージが，実際のサフラジェットや騎士の経験から復元されたものなら，そうした言明は真実なのでしょう。

もちろん，この21世紀にそんなことを言うのは不自然です。そう言っている人の心のイメージは，実際いた人物の経験の記録とは言えず，しかも，色あせた，または手を加えられた記録でさえないからです。その話し手は，自分がサフラジェットや騎士であったことを想像しているのであり，そのイメージを記憶とを取り違えているのです。でも，私が「おじいちゃんとエンパイア・ステートビルに行ったことを覚えている」と言う場合，私は，実際に祖父とエンパイア・ステートビルを訪れた6歳の少年の経験に由来する（色あせた，あるいは手を加えられた），復元された心のイメージを描写しています。6歳の少年の視覚的な経験を共有しようとして，その子の肩越しに眺めている姿はただの幻想ですが，その子の経験が真に私の記憶のイメージの原像であるという事実は，依然として存在しています。それゆえに私は，「私」が見たことを覚えていると報告する際，実在した場面を実際に見た，一人称的な自覚を思い出しているのです。

同様に，もし私が，胸の内にしまっていた14世紀の騎士の経験の心のイメージを復元できるとしたら――あくまでも「もし」ですが――自分がその騎士だったときのことを覚えている，と主張するのは正しい，ということになるのです。私は，それが誰であったとしても，私が記憶しているイメージの源となる人を捕らえるべく，過去に向けて「私」という釣り針を放り投げていることになるのです。

過去の「私」についてはもう終わりにしましょう。まだ11時10分ですが，時計の針が12時を指すのを楽しみにしています。昼食を食べに行く時間です。もちろん，それがどんな経験になるのか，事前に文字通り見る術はありません。では，どういった意味で私はそれを「楽しみにする」ことができるのでしょう？

おおっと。これこそ私が本当に突き止めなくてはならないことでした。存在を続けていきたいと思うにあたって私が手に入れたいのは，まさにこれなのですから。そう，私は，楽しみにする未来が欲しいのです。

予知能力者になりたいわけではありません。先々の出来事がどんなものになるのか，ときどきまったく想像もつかないことがあるにせよ，それを想像できないからといって，楽しみに思う気持ちが妨げられるわけではないのです。それに，そうはいっても，まるっきり想像できないというわけでもありません。私がそうした出来事を経験した場合には，それがどんなものになるのか思いもよらなかった，という記憶が含まれると予想できるからです。思いもよらなかったときの自分と照らし合わせて，「なるほど，こういう感じなのか！」と思っている自身の姿を想像できます。

私はふだん，そんなふうに，将来の経験について，自分がそれをどう想像したかという記憶も踏まえて想像します。私のオフィスに次にやって来る人が，予想もしなかった人で驚かされることはあるでしょうが，それが誰であるかわかっていたら，まず驚かされることはありません。私の想像上での経験には，その人がやって来ることを覚えていて，そうしてやって来るのはこの人のはずだと心構えをしていることが，当然含まれているからです。それゆえに，この想像上の会合は，実際の経験として実現されるまで，そのまま私の記憶の中に残っているものと思われます。

同様に，自分が昼休みに仕事を中断する様を想像しようとするとき，そうした経験には，仕事を中断しようとした記憶が伴われるものと想像ができ，それが主体によって，現実と比較されることになるのです。私には，自分の心のイメージが透明なものとして，そこを通り抜けて想像上のシーンへと至るようなものに感じられます。このイメージが，私が想像したものの記憶の背景となるのです。もちろん，実際にそのイメージを通り抜けるわけではありませんが，私はそのイメージを確かに記憶していて，行動の目安にすることさえできるのです。たとえば，自分が公園で昼食をとっている姿が想像できるので，このイメージを背景とした未来の主体が，正午に公園へと導かれていくような感じです。

将来の経験について私が予期するイメージもまた，予期される光景や音，思考とともに，それらの主体となる人についての，主体としての自己認識が——つまり，その人の，「私が見る」「私が聞く」「私が考える」が——含まれています。こうしたさまざまな一人称代名詞は，こうした経験を予期する者としての「私」ではなくて，予期される経験の内的な主体となる「かの者」を指しています。そしてもし，その人が，（私が予期するように）そうした経験をこんなふうに予期したということを記憶しているとしたら，いかにも心の中での親指のように，そうした一人称代名詞は結局，その人の観点から見たその人自身を指し示していることになります。

仕事をやめて昼食にするという計画の中でもあったように，私はこうした代名詞を未来に向けて放り投げ，一人称視点が記憶されている経験の主体を捕らえようとしています。捕らえたいと思っている特定の人はいないのです。私が代名詞という釣り針で捕らえることができる人であれば，その人は誰でも構いません。その人当人を指しているものとして思い出されるイメージの中で「私」を使い，そうすることで，一人称的な視点を切り取ってくれる人でありさえすれば。

というわけで，記憶は，その源となる主体（それが誰だったとしても）の経験を表すのに対して，未来におけるイメージは，意図された場面でそのイメージを受け取ることになる主体（それが誰になろうとも）の経験を表します。そして，私がその記憶を「私」の過去の経験を示すものとして記述するように，ちょうど未来のイメージを私は，「私」の未来の経験を表すものとして記述するわけです。こうして，その予期される経験の一部には，一人称的に表現するしかない主体の自己意識が，含まれていることになります。

では，私であり続けるということは，私が「私」と呼ぶことのできる，（誰のものでもない）未来の主体になる，というだけのことなのでしょうか？　いいえ。そんなこと，まったくどうでもいいはずです。つまるところ，代名詞に何の価値があるのでしょう。

けれども，私の人生における数多くの重要な局面には，将来を見込んだそういった類の思考が関係しているのも確かなようです。私は何かを欲求する折には，まさしくこの欲求を存分に満足させられるようにと願うことがよくあります。この欲求は，満たされるまでずっと居残り続けます。あれこれの物事に期待をかけているときは，その期待そのものに対して両腕を広げ，その実現を迎えられるようにと願っていますし，物事を恐れているときは，その恐怖によって両脚はおののき，向き合うのを恐れます。実のところ，将来に対する私の感情のほとんどは，「そのときが来たら，もはやそう感じないだろう」と思いさえすれば，感じないような感情です。昼食にメキシコ料理を食べたいとしましょう。すると，昼食の時間になってまでまだ食べたいと思っている場合に限り，その欲求を満たす経験を得ようとせんがため，食べたいと思うわけです。私が本当に欲しているのは，実のところ，自分が思い描いてずっと望んでいた，そうした昼食を経験することなのです。それまでの1時間のあいだ，メキシコ料理が食べたいと思っていた記憶の中で，自分の満足感を高めたかったからです。

こうした感情は，解決されて返済，清算されるまで残っていると想像できるという意味で，未来に対する投資ともいえます。そして，その将来的な解決を予想するにあたり，そうした感情は，解決の場面を経験することになる人を特定するわけではなく，ただ経験の主体として，その人を選び出すにすぎません。お昼に「私」にメキシコ料理を味わってほしいと思うことで，私は，お昼になってもこの欲求を感じていて「朝からずっとこれが食べたかったんだ」と記憶している主体を指しています。そして，私がその主体を指し表すとき──その人は，「ずっと食べたいと思っていた私」のことを指していると考えられるわけですから──それが，私たち二人のどちらになるのかは気にしていないのです。

もちろん，欲求や感情は，それが現実に満たされないとしても，強く，重々しいものになり得ます。孫の将来について思いをはせるとき，私は，おそらく自分が生きて見ることができないであろう出来事の数々について，そうした強い，重い感情を抱くのです。でもそうした出来事について，私の気持ちは準備できていないので，将来の私は関わってきません。ふだん私は，欲求を満足させるような想像を欲しているのであって，それに対してすでに心の準備をしているのです。あたかも，ある楽曲の始まりの音色を聞くと，その終わりの音色がすでに予期されて，そしてその終わりの音色を実際に聞くと，開始時に思い出した通りだったと納得がいくような感覚です。あるいは，物語の始まりですでに結末が予期され，読み進んでいくと，始めで思っていた通りだった，といった感じです。そして，今このとき，私はすでに，現在よりも何かとても大きなものに関わっています。孫たちの末永く幸せな人生を望んでいるものの，私は単なる傍観者にすぎません。それは，私が孫たちの先々の人生に関わらないことを指すだけではありません。孫たちについて抱くであろう欲求や感情に前もってアクセスできないという意味では，今でさえ，私は孫たちとは無関係なのです。

なので，期待や記憶のつながりによって，私は，ほかの誰かを将来の「私」とみなすことが可能になるのですが，それは同時に，束の間の存在よりも大きな何かにおいての役割を，今でさえ私に与え，私の現在をも豊かにするのです。こうしたつながりは，私に「人生」をもたらします。それは，存在し続けることがただ伸びていくといったものではありません。楽節や終止，始まりや終わりをともなったものなのです。

もし未来のほかの誰かが，私の人生を生きたことを覚えていたとしたら――私の計画や期待，経験といった心の記録の中で，一人称的な視野を切り取ってくれたなら――たとえデイヴィッド・ヴェルマンが続いていかなくても，私は存在を続けていくのでしょう。どうやったらそうなるかはわかりませんが，それがどういうことになるかは，よくわかります。もしそうなることがわかっていたら，私は，その人の立場で，その人として「私」が行うことを計画することだってできるでしょう。とすると，私の存在は思考上においてデイヴィッド・ヴェルマンから分離できるかもしれず，私は本質的にデイヴィッド・ヴェルマンではないということにもなります。

そう悟ったとき，魂についての昔からある考えもよく理解できるようになります。私の魂という観念は，人としての世俗的な私の存在から離れ，宙に舞っている自我という観念です。それはあたかも，先人たちが，自分たちは本質的に自分たちではないと気づき，ほかの何かにその本質的な存在――パーソナル・エッセンス（人格の真髄）になってもらう必要性を感じたのと，同じことなのです。

しかし，魂をもっているという考えは，私が確固たる世俗的なアイデンティティを有しているという事態を，正当に扱っていないとも言えます。本章の最初で了解したように，私であり続けることは，同一の魂であることや，あるいは，どんなものであれ同一物であることと，同じではないからです。先人たちはそこから逸《そ》れて，私たちの本質的な存在として魂というものを生み出し，私たちはそもそも本質的にものであると考えたのです。

私は，ものではありません。どんな種類の存在物でもないのです。正確に言うと，私は思考や気持ち，今生じている経験の主体です。そして，私がその存在を思い出し予期するところの過去と未来の主体，という一人称的な視点によってつながっているのです。より大雑把に言えば，私とはそうした主体のつながり全体であり，主体であることの私の記憶と，主体が私であるという記憶を予期することで連結されているのです。そして，その思考と経験が一人称的につながって存続していく限り，私は存在し続けていくのです。

3

終わりへの不安

私はこれまで66年間，存在し続けてきました。そして今，時間がなくなってきていることが気になり始めています。それで年々，誕生日が近づいてくると，この日をあとどのくらい祝うことができるのだろうかと，暗澹《あんたん》たる気持ちになります。

それにしても，私の次の誕生日が近づいてくるとすると，誕生日は何かに近づいてくることになります。では，一体何に近づいてくるのでしょう？

今日という現在は，日付で特定された一日（2019年3月3日）であり，今日と私の誕生日（2019年11月14日）のあいだの遠さが変わることはないので，誕生日が現在に近づいてくるわけではありません。この二つの日付間の日数は常に256日間であり続け，お互いが近づくことは決してないのです。むしろ近づいてくるのは，私の誕生日が現在になるという出来事です。でも，この出来事が近づいてくるのは，近づいてくる11月14日に，その出来事が生じるためなのです。そのことを私は今，説明しようと思います。その日はどうやって近づくのでしょうか？

別のたとえを用いてみましょう。今日という現在が，連続する日々の中で，毎日を日ごとに照らすスポットライトのようなものだとします。この場合，動くことのない私の誕生日に向かってじわじわ迫るように動いているのは，スポットライトです。動くには位置を変えなければならず，このスポットライトの場合，別の日を照らすようにして動く必要があります。もちろん全部一度にではなく，日ごとに一日ずつ移動しながら，別の日に別の日を，一日ずつ照らし出さなければなりません。よって，毎日，その日の一日分が明るく照らされます。この点において，日々に差異はありません。では，違いがあるとすれば，それは——何だというのでしょう？——それは，どの日が「今日」照らされるのか，ということにほかなりません。

さて，ここでまたしてもぐるりと回って戻ってきてしまいました。どの日が今日なのかと言えば，それはスポットライトで照らされる日です。でも，毎日が一日ずつ照らされています。今日がほかの日と異なっているのは，スポットライトで照らされる「時」だからです（こうして永久に堂々巡りです）。

問題は，「今日」という言葉が「ここ」や「私」のようなものであり，この場合，指しているのが場所や人ではなく，それが使われている時の日にちであるというだけです。今日という現在を表す言葉は日々，動いているようなので，現在も動いているかのように見えます。しかし，「今日」という言葉は文字通りの意味で動いているわけではありません。ただ繰り返し使い続けられていて，しかも毎回，一日だけ使われます。こうした「今日」の連発発車は，まるで列車の車両が「今日ー今日ー今日ー……」と連結されて，それぞれ線路上の区画ごとに配置されているかのようです。そっくりな車両が連なってできている列車が，線路上で区画一つひとつを占居していたら，その列車は動いていることにはなりません。動くということは，ある一つの物が，別の時間に別の場所を占居するということです。「今日」が問題になるのは，「今日」と口に出すことがいわば出来事のようなものであり，その一つひとつの「今日」という出来事が，それぞれたった一つの時と場所においてのみ生じるからです。

ああ，でも「今日」は毎度，「私」から発せられるのです。私は今ここにいて，今日そう言っている。明日そこにまた私がいて，またそう言う。私はまるで，過去から未来へと続く線路に沿って，日ごとに「今日」を発しているようなものです。とすると，未来が近づいてくるという私の感覚は，電車に乗っていて目的地が近づいてくるような感覚に違いありません。未来に近づいているのは実は私であって，その逆は言えません。なんにせよ，「何か」が動いているのです。

ちょっと待った。私が時間の中を動いていくためには，日ごと，私は同一のものである必要がありますよね。でも，つい先頃，私はものではないと結論づけませんでしたっけ？

鉄道のアナロジーを使って，もう一度やり直してみようと思います。一連の車両から成る列車が，線路上の連続する区画を占居しているとして，その列車の各車両がそれぞれ異なる区画に配置されていたら，それは動いていることにはなりません。しかし，そうすると疑問に思うのが，別の日，あるいはそれこそ別の瞬間を占居しているのは，私全体なのか，それとも私の別の断片なのか，ということなのです。

それが，私の別の空間的断片ではないことは確かです。私が空間的断片を有しているというのは，私の身体が断片をもっているという意味に限られ，そしてすべての断片が，瞬間ごとに存在している，ということ――頭頂部から腰，足の裏まで，空間の異なる領域を占居しているということ――なのです。しかし，別の時間の合間を占める，私の別の断片というものが存在し得るのでしょうか。かつて，私は子どもでした。のちに青年となり，大人になりました。いつか（まだまだ先ですが！）老人になるでしょう。こうした私の異なる断片は，空間ではなく，時間の中で続いている私の人生の範囲にわたってつなぎ合わされており，まるで一つの列車における，異なる車両の数々のように思われます。

若い私と年老いた私が，それぞれ時間で区切られた私の異なる断片であるのは，頭頂部と足の裏が，それぞれ空間で区切られた私の体の区分であるゆえに，私の異なる断片だといえるのと同じことです。空間分割は幅，高さ，奥行きの三次元によって測られ

ますが，時間はまさに別の次元，つまり四つ目の次元によって，物事が高低あるいは左右ではなく，前後で関係づけられます。ちょうど私の頭が足よりも高い位置に存在しているように，若い私は年老いた私よりも先に存在していたということですね。

もし私が，別の時間において別の断片をもつことによって，時を越えて存在するとしたら，そのとき私は，線路上で区画ごとに別の車両を配置するようにして止まっている列車のようなものになります。私が時間の中で動くことはないものの，ただ時間に沿って伸びるように続いているのです。さもなければ，私はまるまる一つのものとして――私の人生のあらゆる瞬間において，すべて私であるかのように，存在することになるのでしょう。もちろん空間的に考えれば，私のすべて――この私の身体のすべて――つまり，頭からつま先までの一個の人間全体は，あらゆる瞬間に存在はしています。しかし，四つ目の次元における別の領域にも私が存在することを考えると，ある一定の時間的領域における私の存在は，年少から年長まで全範囲にまたがるものではなく，それらの時間的断片のうちの一つにすぎません。

念のため言うと，私がもっている断片とは，一人の人物がもつ，あらゆるパーツのことです。しかし，それらの断片は，いかにも各車両を連結器でつないで一つの列車にするように，断片同士のつながりによって一人の人物を形成しています。私の空間的断片についていえば，その連結は私の肌や筋肉，腱，神経，循環系などで築かれています。そして，私の時間的断片における連結については，すでに触れた通りで，過去と未来の主体を単純に「私」とみなすことを可能にする，記憶の連結です。

過去と未来の主体を，私が現在の自分を「私」ととらえているのと同じように考えると，どうやら私は，まったく同じものを思い浮かべているようです。しかし現実に，私が「私」によって有されたものとして，その経験を思い出したり，予期したりする理由は，それらの主体がまったく同じものであったからだとか，同じものであろうと思われるからではありません。それは，私が記憶や予期をもった内的な主体を選び出すにあたって一人称代名詞を使えるからであり，また，私がそれらの心のイメージを通して，過去を振り返ったり，未来を予期したりすると思われるからです。結果として，時間を通じて自己が完璧に同じものであるかのように現れてくるのですが，それが，自分が時間の中を通り抜けて移動している感覚を生み出し，さらには時が経過してゆく感覚を生み出します。しかし実のところ，私が指し示しているのは，時間に沿って伸びている一連の心の状態における，連続する断片から成り立っている主体なのです。それぞれの主体は，自身だけでなく，ほかの主体も「私」とみなしています。そして，それぞれの心の状態において，その主体は，まるで自分が過去からやって来たばかりで，まもなく未来へと出発するところであるように感じています。現実には，その主体はどこにも行きません。それはただ一瞬だけ存在し，過去の心の状態の主体によって記録された思考と心のイメージを取り込むとともに，未来の心の状態の主体によって取り込まれることになる思考と心のイメージを記録しているのです。

いや，それはおかしい。

私が時間を通って移動しているのか，あるいは時間が私を通り越しているのか――そのどちらかです。私と時間，どちらも止まっている，なんてことはありません。もしどちらも止まっていたら，何も変わらないでしょう。私は道を歩いて行くことさえできず，ただ，歩道の連続した区画に立ちつくす，時間的に前後で区切られた断片となってしまうでしょう。

もし私が，一瞬一瞬，同じものであり続けるものではないとしても，私は，私とともに別の時間に別の場所へと移動する，人称的な視点をもっているのだと強調したいと思います。それは，物体は空間に配置されるものととらえる折の，ただ一か所に固定された立脚点でもなければ，出来事は時間の中に配置されるものととらえられる折の，ある一瞬に固定された立脚点でもありません。それは，物体や出来事を，あちこちに広がって続いている一つの世界をつくり上げているものとして知覚している，「私」に固定された立脚点なのです。もしさまざまな場所や時間における物体や出来事が，その観点から統合されることになったら，断片に分割されることはないはずです。なぜならそれが，統合された，存続する観点であるはずだからであり，確かにそう思われるからです。そのことは確信しています。

いや，そうじゃない。その統合された，存続する観点こそが，私がそもそも特定しようとしてきたものだったのです。それこそが，私を過去と未来の自己へとつなぎ，時間を超えて，私を，私にとっての「私」にするものでした。そして私はこれまで，その観点を，計画，記憶，予期，感情へと分解してきたわけです。こうした要素は，異なる一瞬一瞬に根を張っていたものの，統合らしきもの，ゆえに，動きらしきものを醸し出すように連結されてきただけなのではないでしょうか。実際には何もないところに，動きがあるように思いこんでいるだけなのかもしれません。

私には，時の経過というものは幻想であると結論づけるしかないようです。追い払うことは不可能な幻想ではありますが。私は，存在し続けるものではまったくなく，ただ異なる瞬間に異なる断片で存在しているだけなのです。

ゆえに私の最期は，断崖に向かって常に向かっていくようなことではなく，その先に時間上何もない，単なる断片にすぎないのです。頭の上や足裏の下に私がまったく存在しないのと同じことです。自分には一番上と一番下の空間的なパーツがあること，つまり，空間の中に自分の終点をもっていることは気にしないのだから，時間の中に終点をもつことも気にすることはないのです。

まあ，気になるのにはちゃんとした理由があります。一つには，私のもつ時間の範囲が，たとえば孫の卒業式や結婚式といった，未来の特定の出来事を見届けるに十分なほどまで達しそうにないということがあります。こうした祝事によって完結される，楽節や読みかけの物語を引き継ぐ未来の断片という形で，その場所に私はいたいと思っているのです。

そういった観点から眺めてみると，こうした欲求は，昼食にメキシコ料理を食べたいという欲求とはまったく異なるものです。一皿のメキシコ料理は，それを食べるために生きていたいと思うようなものではありません。私がまだ普通に生きていて，昼食に食べたいと思うなら食べたいものであって，そうでなければどうでもいいものです。しかし，孫の卒業式や結婚式は，自分がそこにいてそれを見届けたい――それができないことが，私には今気になるわけです。もちろんその時が来る頃には，気にすることもできないのでしょうけども。

でもそうすると，存在してそれを見届けたいと思うことに意味はあるのでしょうか？　それらを見届けたいという私の欲求は，その欲求自体の満足感を期待しているのに，その満足感が決して生じないとしたら――もし私の時間的猶予が短いものだとしたら――「絶対に満たされることのない欲求」が，失望感と決して出会うべくもなく，すでに過去の時間の中に存在していることになります。というより，私の欲求は，医者からの宣告や，核ミサイルが飛んでくるというニュース速報などで，迫りくる終わりを私が事前に知った場合に限り，失望感と出合うことになるのです。おそらくそれが，たとえば寝ている間や不慮のバス事故など，予期せぬ突然の終わりを自分が望んでいる理由の一つかもしれません。

もしくはそれが，将来に対してあれこれ感情的な思い込みをしたくない理由の一つかもしれません。そうした欲求が満たされるかどうかという心配事は抜きに，私はただ孫たちの卒業や結婚を願っています。何よりもまず孫たち自身のために，とにかく，そういった人生の大切な節目を迎えてほしいと，私は気にかけるのです。私が自分自身の満足感について気にかけるとしたら，それは，孫たちの卒業式や結婚式の開催を望むとともに，それを見届け，欲求を満たされている自分がそこに含まれていてほしいと望む場合に限ります。そして，後者の願望は，今，無駄な感情のエネルギーを使うか，あるいは，のちに深刻な失望感を生むかというリスクを孕《はら》んでいるのです。そんな願望がない方が，楽にやっていけるじゃないですか。

ときにはまったく，そういった願望なしにやっていけることもあります。先のことを考えたり，過去を振り返ったりすることなく，儚《はかな》い存在の悦び（あるいは苦悩）の赴くまま，それぞれの時間的断片を，その瞬間をまっとうして生きていくのです。けれども私はいつしか，日常の慌ただしい気分へと――束の間の静寂さから滴《したた》る水滴を集めて，そうした慌ただしい日常を潤そうと努めてはいるのですが――戻っていくのです。

私のものとして思い描かれる，過去や未来に対する欲求や感情をもたずに，常にその瞬間瞬間だけを生きていきたいという願望は，私にはありません。すでに私が悟ったように，そうした気持ちは，始まりと終わりをもつ楽節の中の旋律や，物語の中のエピソードのように，現在の私の存在に意味をもたらすからです。私はただ，私が存在し続けていくことを，意味あるものとして，しかしあまりに現実的すぎずに，軽やかにくぐり抜けていく術を見つけ出せれば，それでいいのです。

4

こうできたかもしれないのに，という後悔

私の人生という物語は，現状とは違うものに成り得たかもしれません。

子どもの頃，大人になったらダンサーになりたいと思っていました。そして40代で，自分がまだダンサーになりたいと思っていたことに気づき，バレエ教室に入門しました。まだダンサーになりたいと思っていたからではなく，単純に踊るためにです。しかし，私はそのとき，いや今でもまだ，自分がダンサーである並行世界を空想しています。

私は哲学の教授になったことを後悔しているのでしょうか？ 代わりにダンサーになっていたらよかったのに，と望んでいるのでしょうか？

今，60代のこの私が？　今の私がダンサーになるのは，まず無理ですよね。でも，過去にダンスの世界でキャリアを築いて，引退したダンサーになっていた可能性は，なきにしもあらずです。もし……まあ，この「もし」をどうやって埋めたらいいのかはわかりませんが，たとえばもし，子どもの頃，くじけずダンスを学び続けていたら？　さらに大学で，哲学の代わりにダンスを専攻

していたら？　それから，その先は？

　たとえ私がこうした仮定をふくらませていけたとしても，自分がその，もう一方の人物ではないことを後悔することになるのかどうかはわかりません。私は，私が今のままの自分でありつつ，もう一方の人物になれるのかどうかを疑っているのではないです。私が今もっている才能はさておいて，若い頃から別の道を選んでいた場合にもち得た才能について考えているのです。問題となるのは，別の道を選んだ人物は違いを有してはいるものの，依然として私であるのか，ということです。

　その人と私は，違っているにもかかわらず，多くを共有していることになります。私たち二人は，その人生の分岐点まで，同じ子ども時代を共有しているでしょう。その人は，私が記憶しているのとまったく同じ子ども時代からその記憶を継承していることになり，その中には，私の祖父とエンパイア・ステートビルを訪れた記憶も含まれているはずです。そしてその記憶は，私が自身の姿として鮮明に覚えている6歳の少年と，まさに同じ少年の観点から示されることになるのです。私にとってそうであるように，その人にとっても，その記憶は「おじいちゃんとエンパイア・ステートビルに行ったこと」として示され，ゆえに私たち二人はともに，まったく同じ子どもを「自分」とみなすことになるのです。

　それでもなお，子ども時代の共有という点から述べたこの推論はまた，「その人は私ではなかっただろう。ゆえに，私はその人には成り得なかっただろう」という結論を導きます。なぜなら，

その人と私がともに同じ6歳の少年を「自分」とみなすことができたとしても，私たち二人のお互いのあいだについては，同じような関わり方をしていないからです。その人生の分岐点以降，私はその人に起こったことを何も思い返すことができませんし，その人の未来に起こる出来事も，何一つ楽しみにできないのです。その人が，私にとっての「私」になることは，少なくともないでしょう。

もちろん，そもそもその人が存在することはなかったので，その想像上の分岐点のあと，実際にその人には何も起こっていないし，今後も起こらないわけです。もし仮にその人が存在していたら，私はその人の過去を覚えていて，その将来を期待することも可能だっただろうと言いたくなります。その，もう一人のデイヴィッド・ヴェルマンは，間違いなくそうしたことができたことでしょう。しかし問題は，その人がその人の過去を覚えていたり，その人の未来を予期したりすることが，私が私の過去を覚えていること，私の将来を予期することになるのか，ということです。

私はここで，自分がダンサーにならなかったことについて，何か後悔していることがあるかどうかを見極めようとしているわけですが，その後悔の気持ちとは，実現されていない可能性があることを前提としたものです。では，私がダンサーになっていた場合，現在の私が使っている「私」では，その場合には存在していたであろうダンサーを指すことができないのに，そこに実現されていない可能性はあるのでしょうか？

この場合，私が後悔しそうなこととは，私はダンサーになる子だったかもしれないのに，ということです。事実，私はダンサーになることを夢見ていた，その子だったわけですからね。その子はダンサーになったかもしれず，そして私はその子だったので，私はダンサーになる子だったかもしれない。合ってますよね？

いや，自信がなくなってきました。ダンサーになっていたであろう子は，私が覚えている子ではないかもしれません。私が覚えている唯一の子は，ダンスを学ぶことにくじけ，代わりに哲学の教授になることになった子です。もちろん，その子はダンサーになったかもしれなかった。でも，もしそうなっていたら，その子のことを覚えている人は現在，とっくの昔にダンサーを引退した人であって，近々引退する哲学者ではないでしょう。しかし，私たち二人（現実に存在している哲学者と，現実には存在しないダンサー）のどちらも，自分がもう一方の人物になる子だったことを記憶していないとしたら，どうやってその子ども時代を共有しているというのでしょう？　何だかわからなくなってしまいました。

いやいや，これは解決できるはずです。言うなれば，「私はダンサーになった子だったかもしれなかった」のではなく，むしろ「私はダンサーになったかもしれなかった子だった」のです。ダンサーになりたかったその子の夢は，実現したかもしれなかったけれど，しなかった。その子が，私だったのです。

もう一つ，私が後悔できそうなことがあります。それは，ダンス教室に通い続ける気が失せてしまった8歳の少年の足が，レッスンに向かわなかったことです。その8歳の少年とはこの私だったのですから，向かわなかった足は私の足ですよね。私は，その少年が送れたかもしれなかった現在の人生をいま現に生きていないことを，後悔することはできません。いや，むしろ，その少年の体験を想像して，実現されなかった未来を思うのであれば，その子に代わって残念がることができるといえます。そんな心残りの投影は，私が40代にして現実味なく心に留めていた子どもっぽい願望と，重なるところがあるのでしょう。なぜならそれは，すでに過ぎ去った未来への願望だったからです。こうした願望の余韻は実のところ，身代わりとなって後悔している反応にすぎない，とすれば納得がいきます。

私が子どもの頃にしなかったこと，彼（子どもの頃の私）が将来になれなかったもの――どちらの類の後悔も，子どもの姿が過去の中へ消えていくとともに，自然と薄れていきます。もしその後悔が，自然と消えていかず，私の現在の人生と若い頃の自分が送ったかもしれなかった人生とのギャップにより，増大していたなら，時が経つにつれて，そして，そのギャップが増幅していくにつれ，後悔もますます大きくなっていくでしょう。機会を逃したことへの後悔が，どんどんふくらんでいく人もいます。その実現しなかった見返りが，その人の想像の中で増幅していくからです（アップルコンピュータの株が，今だったらいくらになっていたことか！）。

とはいえ，私の身の回りに限って言えば，そうした見返りを実現するのに遅すぎるということはありません。でも，それを実現したかもしれなかった人を自分とみなすのは，今となっては手遅れです。ダンサーとしての人生は，ある時点での私にとって一つの可能性だったかもしれませんが，もはや可能性ではなくなっています。それは，私の将来には成り得ないという意味においてのみならず，私の過去にさえ成り得なかったのです。そして，私の人生の物語を，今となっては私のものとは成り得えなかったほかの物語と比べたところで，何にもならないのです。

5

人生の作者になりたい

私の人生の物語において最も重要なのは，どんな場合でも，自分がその作者であるということです。過去の来歴から手渡された筋書きを，ただ演じているにすぎないとは思いたくありません。私は，自分の人生の台本作家であり，そのように生きながら，またそう生きることによって，自分の人生をつくり出していると思いたいのです。

自分の人生の物語をつくり出すには，次のページは進行中というように，将来を空白にしておく必要があるのではないでしょうか。どんな作家でもそうですが，次のページに私が書けることは，それまでの物語に矛盾しない内容に限られるでしょう。しかし，そうだとしても，書けることはいろいろあるに違いありません。

人生の岐路のほとんどの場面において，加筆できそうなことが実にたくさんあるように思われます。そうでなければ，そもそも自分の人生の作者になりたいなんて，まず思わなかったでしょう。それにしても，空白に見えているページが，すでに見えないインクで書かれていて，それを私はただなぞっているにすぎないように思えるのが，気になります。

別のことを気に病む人もいます。たとえば，自分たちは時計仕掛けの宇宙の歯車であり，あらがえない自然の法則のもと，その始まりのときから，巻かれたネジが刻々と作動し続けているというのです。つまり，宇宙のメカニズムによって，始まりのときから自分たちに運命づけられてきたこと以外，何もすることもできないのでは，という悩みです。

杞憂《きゆう》なのかもしれません。しかし，私には将来において複数の選択肢が可能であるものの，すでにそのうちの一つに，実際に自分で選ぶことになるものが決まっているのかもしれない，というのがやはり気がかりです。たとえ，どうするかは神のみぞ知るにせよ，です。「神のみぞ知る」とは，まったくその通り！　神のみが私の将来を知り得ている限り，私は将来をつくり出しているのではなく，神の偉大な知識に従うべく，将来を発見しているにすぎません。自分には，神さえも驚かせるような人生をつくり上げることができると思いたいところですが。

傲慢《ごうまん》でしょうか？　そうは思いません。私はただ，決断するというのはどういうことなのかを言い表しているだけです。というのも，何かしようと決断するとき，私はどうやら，自分がそれをすることになる状況を生み出しているように思えるからです。私が決める前に状況が決まっているのなら，私にはその状況を生み出すことができません。しかし，まだその状況でなかったなら，それを神は知り得なかったはずです。神に先見の明がないからではなく，知り得る事実が存在していないからです。私は，以前には何もなかったところに事実をつくり出しているのではないでしょうか。もっとも，未来形の事実の中に，私の決断が入り込む余地がないのならば，私が決断を下していると主張すること自体，むしろ傲慢だということになってしまうわけですが。

事実の中に介入する余地がある，という概念に私はまだ困惑しています。確かに，「今日オフィスに行く」という，今朝《けさ》の時点で現在形で正しかったことは，昨晩の時点では「明日オフィスに行く予定だ」と，未来形で正しいものだったはずです。同様に，私が今日の午後にするつもりでいることは，今朝すでに未来形で正しかったはずのことでした。こうして，私が仕事のあとにジムでエクササイズをしようとしていたかについて，すでに事実が存在していたのです。ではどうして，今朝の時点では，それが未決定であるように思えたのでしょう。

それが未決定に思えたのは，私が未来について二つの描き方の選択肢をもっているように思えたからです。「今日の夕方ジムに行く」と「ジムに行かない」という二択ですが，私がそうした内容をもった描き方に沿って決断を下すことによって，どちらも本当になり得ます。問題は，二つの描き方のうち一つは，その件について事実がすでに固まっていたため，すでに偽りだったということです。では，どうして私には選択肢があったのでしょう。すでにあった事実は，私が検討に入る以前の段階で，すでに選択肢の一つを除外し，私の決断に先手を打っていたように見えます。私が今日の夕方，ジムに行かないという事実がすでにあったのなら，どうしてジムに行くかどうか，わざわざ考えるのでしょう。

問題は，どうするか決めることが，自分がしようとすることを表出することにあるように見えるところです。今朝，予定を決めるにあたって，私は，「ジムに行く」もしくは「ジムに行かない」のどちらかを考えました。そのうちの一つはすでに偽りだったので，その決断は事前に除外されていたように思われます。

しかし，どちらかの描き方を考えることが決断することと同じなら，私はそれに従って行動すると言えるのではないでしょうか。「ジムに行く」という考えによって，私はジムに行くことになり，逆の考えなら，逆の行動をとるというわけです。ということは，私には間違ったことを考える危険はまったくなかったのです。というのも，もし私が今日の夕方にエクササイズをするつもりではなかったとしたら，その理由は，エクササイズをすることを考えようともしなかったに違いないからです。しかし，それでもなお，エクササイズをしようと考えるのを間違いだとすることはできなかったでしょう。そう考えることはエクササイズをすると決めることと同じであり，つまり結局，私はエクササイズをすることになったはずだからです。どちらの考えも決断であり，実現されて自己成就されていたことでしょう。

もちろん，その考えがすべてというわけではありません。私にはエクササイズをするしかるべき理由があるという事情のみに基づき，ジムに行くという決断をし，それが私をジムに向かわせるかもしれないのです。そしてそれは，のちのちその決断に基づいて行動するときに私に影響を及ぼすことでしょう。しかし，そうした理由というのは今日に限定されたものではありません。エクササイズを明日に延期したって，どうせ体調は変わらないだろうし――まさに，夕方5時になって疲れた私が，ジムのロッカールームのにおいをまざまざと思い出したときに考えそうなことです。それでも，もし来る日も来る日もジムに行くのを先延ばしにしていたら，だんだん体がなまってきて，もとの体を取り戻すのが大変になり，そうなると，また一から始めるのがますますひどく億《おっ》劫《くう》になっていくことでしょう。そこまでの体たらくになってはいけません。でも，そこまでいかなければ，あと一日延期してもさほど違いはないでしょうし，たとえ私がそうなったとしても，もとに戻す苦労と向き合おうとする前にもう一日怠けたところで，それほど大きな違いは生まないでしょう。

明らかに，決断を5時まで先延ばしにしたら，私がエクササイズに向かうことはまずないと考えられます。だから私は，「今日の夕方，ジムに行く」と今朝決めたのです。そう心の中で決めておけば，5時に足がジムの方向へと向かってくれるでしょうから。

とはいえ，自己成就することになる考えのすべてが，決断というわけでもありません。私が布団の中で，一晩中眠れないかもしれないと不安に思っているとき，その不安な思考が私を眠らせないわけですが，それは，不眠症に苦しむよう決断したことにはならないでしょう。おそらく違いは，眠れないという思考そのものによって眠れないでいることを，自分で認識できないということです。他方，「ジムに行く」と考えたときには，そう考えることで決断することになり，その結果，ジムに行くことを決めたのです（私がすでにやろうと思っていたことを，やろうと決断していたわけではないのです。そうやろうと決めていたかどうかは，二の次だったわけです）。なので，そう考えたことが自己成就しただけでなく，それを考えること自体，暗に自己成就的なものとみなされ得るのです。

しかし，たとえ思考が，考えること自体を自己成就的なものとみなしているとしても，「眠れない（なぜなら，そのことを考えているから）」ということにおいては，依然，自分で決断していません。ではそこには，ほかにどんな違いがあるのでしょうか。

それは，不眠は私にそれ以外の思考の選択肢を与えないということです。眠ることに対するどんな考えも──「私は眠るんだ」という考えさえも──不眠への不安の引き金となり，私はそれによって覚醒させられているのです。そして，眠ることを考えないようにしようというどんな試みも，そのことを思い起こさせてしまうだけなのです。睡眠を破壊する睡眠への思考に対して，どんなに自分の頭をバリケードで囲っても，その思考はするりと頭の中にすべり込んできます。それに対して，私の「ジムに行く」という考えは私が選べたものでした。私はそれを実現したいためにそう考えたのであり，考えることでどちらか一つを本当のことにできるとすれば，逆を望んでいた場合は逆のことを考えることができていたのです。要するに決断というのは，自身を自己成就させる性格をもった，選択による自己成就的思考なのです。

そうした思考は，想定のようなものです。最初はどちらにするかの根拠がなかったので，どちらか一つ，単純に本当だと思ったほうを採択することができたはずです。どちらに想定したとしても，私がそれを想定したという事実と，それが自己成就的であるという事実が「証拠」となり有利に働くのです。そして，その思考はもはや想定ではない，十分に根拠のある確信になっていたものと考えられます。私が今日の夕方にエクササイズをするかどうかもともとわからなかったのが，ただどちらかを想定したとたん，私は直ちにどちらにするかを知ることができるのです。

これまで，最も難しい問題を避けてきました。今日の夕方にエクササイズをするかどうかについての私の想定が，実はそれ自体を本当のことにする，ということを，なぜ私は考えることになったのでしょうか。シェイクスピアの名文句にあるように，「考え方次第でそうなる」というものでもありません。

そういった想定が自己成就的であったとして，さらにそれを証明する証拠を有していたとしたら，確かに都合がいいでしょう。夕方ジムに行くかどうか，午前中にわかっていたら便利ですからね。もし行くなら，私はエクササイズ用の荷物をバックパックに詰め，昼食は軽めにしなくてはなりません。行かないなら，荷物をまとめる必要はありませんが，今日怠った分を埋め合わせるために，明日の夕方を空けておかなければなりません。今日ジムに行くかどうかを知ることで，必要な準備ができるようになるうえ，他方の選択をした場合の準備をする必要がなくなります。

もし私がふだん，その手の想定を成就しがちで，また，自分にはそういう傾向性があるという証拠をもっていたとしたら，私には事実，そうする能力があると言えるでしょう。自己成就的とみなされる想定を遂行する傾向性がある，という確かな根拠があれば，私は将来的にさまざまな活動を視野に入れることができるようになります。そしてそれぞれの活動について，それをする（またはしない）と考えることができ，その証拠によって，それをする（またはしない）ことに関して，私がすでにもっていたどんな性向であれ，自信をもって深めていくことができるでしょう。もちろん，私には単純にできないこともたくさんあるでしょうし，そう想定したからには自分はするだろうと思った場合でも，どうしてもしたくないことだってあると思います。それらについては，すると想定しないようにする必要があるかもしれません。それでも私にはまだたくさんの選択肢があると思われるうえに，そうした想定を実証する傾向性があるという証拠があるなら，想定したからには自分はそうするだろうと自信をもって思えることも数多くあるでしょう。私はそういう傾向性と，私がそうした傾向性を有しているという証拠が，欲しいのです。

おや，ちょっと待ってください。証拠はすでに手の届くところにあります。その証拠を得るには，自分の未遂の決断を実行に移せばいいだけではないですか。未遂の決断とは，私がするつもりのことについての，自己成就的とみなせる想定です。こうした想定を実証することによって，自分はこうした想定を実証する傾向性があるという，手に入れたかった証拠——つまり，私の初志貫徹性ないし首尾一貫性とでも呼べる証拠を，自分自身にもたらすことができるのです。つまり，その証拠を求めていること自体が，自分の決断を遂行する動機になっており，それはすでに私の首尾一貫性を物語っているのです。

いやでも，それは見せかけじゃありませんか？　私はよく，自分自身について何かしらの結論に達したときに，その証拠を示そうとするあまり，表面を取り繕《つくろ》って，好きでもない人たちに好意的であるように見せたり，話の内容が右耳から左耳へと抜けていくような相手に対して，注意深く聞いているようなふりをしたりすることがあります。未来の自分についての想定を固める証拠を自分に示したいがために，自己成就的になるよう自分についての想定を満たそうとするのは，見せかけなのではないでしょうか？ただその違いは，自分がするつもりのことについて想定を満たそうとするとき，私が欺《あざむ》こうとしているのは他人ではなく自分自身だ，ということだけのように思えます。

でも，私は本当に自分自身を欺こうとしているのでしょうか？私が証拠によって示そうとしている結論とは，自己成就的と見なされる自分についての想定を，私は満たそうとする性向を有している，ということです。そして，そうした証拠を示したいという思いがまさに，私が証拠によって示そうとしている類の性向なのです。

「見せかけ」の事例をもち出すのは公平ではありませんね。好意的に見られたいというのは，好意的に振る舞うための動機にすぎず，真の好意には値しません。つまり，好意的と言えるには，その好意的な態度の裏に特有の気持ちがなければならず，ただ好意的に見せたいという願望には，そうした気持ちがないのです。それと反対に，首尾一貫性というのは，自分のもともとの計画を貫徹する性向がある，ということにほかなりません。たとえそれが，自分がそうした性向をもっていることの証拠が欲しいからにすぎなくても，です。

その点からすると，首尾一貫性はやや，信頼性に通じるものがあります。私は，自分が約束を守る人であると証明するために約束を守ろうとする傾向にあり，同じく，自分が初志貫徹する人だということを証明するために初志貫徹しようとする傾向にあります。なるほど, 確かに信頼性を自分自身に証明するための動機が，そのまま信頼性を証明することにはつながりません。なぜなら，約束の場合は，気づかれずに破ってしまうこともできるゆえに，証明の効力がないからです。一方，もし私が初志貫徹することができなかった場合，そこでは，首尾一貫性を見せようとする動機ぐらいしか本当にない, ということを見出すことになるでしょう。

計画と約束のあいだには，ほかにも違いが認められます。今日の夕方にジムにいると友人に約束していたとして，やっぱり行けなくなったと言っても，友人は許してくれ，私がジムに現れなくても私の信頼性に対する評価は傷つけられないでしょう。そう，たとえ私がその約束を一日また一日と更新していき，決してジムに現れることがなくても，毎回友人に断っていれば，私の評価は無傷のままでしょう。しかし，自分自身に対し，計画を貫徹しない言い訳をしていたら，心変わりするかもしれません。そして，心変わりすることも往々にしてあるだろうし，そのうえで確実な計画を立てることもできますが，計画を立てるにあたっての自己基準をなし崩しにせずに，繰り返し自分に言い訳をすることはできません。過去に繰り返し私の言い訳を許容した友人には，私が次にする約束を当てにするのを躊躇《ちゅうちょ》する理由がありませんが（ですがその友人はもう，当てにするだけの証拠を集めようとはしないでしょうが），私が繰り返し自分の計画を変更していたら，私はもはやそれを当てにすることがまったくできなくなり，その計画は実質的な価値を失います。

計画に頼ることが，とりわけ差し迫って必要なこともあります。たとえば，やらずには済まされない家事を，自分がそのとき必ずやるつもりでいるという想定のもと，ギリギリまで後回しにしているようなときです。テレビの連続ドラマを一気に観ようと決め込んでいる夜，寝る前に必ず食器を洗うという想定を当てにしていることがあります。その場合，この想定はとくにするつもりでいる必要があると，自分に言い聞かせるのです。そうすることで，その想定を満たそうとする意欲が特別に湧いてくるだろうし，それによって私は，とくに頼る必要性のある想定に対して，どう頼ったらいいのか自分なりの基準をもつことになります。自分に言い聞かせるというのは，単純に，「絶対だぞ」という言葉を添え，少し強調することです。「寝る前に絶対に皿を洗うぞ」といった具合に。とくにするつもりになる必要があるために自分に言い聞かせるという想定ですから，それを支える証拠が覆されて，想定が不履行となると，ひときわ大きな痛手になります。もし私がその根拠を覆してしまうようなら，テレビ三昧《ざんまい》はあきらめなきゃいけませんね。

想定が裏切られたときのマイナス要素を帳消しにすることで，

そうした想定が証拠としての価値をもつことを意図せずして否定するような「合図」もあります。その一つに挙げられるのが，「新年の抱負」というやつです。「新年の抱負」という名の別枠のカテゴリーに入れておけば，ほかのあらゆる計画や抱負とは別扱いにすることができるわけです。私が新年の抱負を守るかどうかは，私が概してすると決めたことを実行する傾向性があるかどうかではなく，私が新年の抱負に決めたことをするかどうかという，ただそれだけの問題になります。たとえ私が，年に一度だけ口に出すこの抱負を破ったとしても，決断したことをする私のふだんの基準は変わらないままです。だから私は，新年の抱負をしょっちゅう破ってしまうのです。新年の抱負は，遂行しなきゃいけない差し迫った理由というものを，私にまったく与えないのです（だから私は，ずいぶん前にこの新年の抱負という習慣をやめました！）

　どうしてこんな話になったのでしょう。私はそもそも，自分の未来を本当に自分で生み出すなら，自分の決断によって埋められる空白のページが必要なはずだという気がかりから，この話を始めました。もしそれが，たとえ見えないインクによってだとしても，すでに埋まっていたとしたら，作者としての私の役割は先取りされていたかもしれなかった。あるいは，私はそうだと思っていたのです。しかし今となっては，私の作者としての仕事は，そう簡単に先取りされるものではないとわかります。なぜなら，未来形の事実はときに，それはどうなるのだろうと私が今考えるかに依存しているからです。ゆえに私は，間違うことなく，それらについて好きなように考えることができるのです。

ときに，未来は開かれているということが人前で明らかになることがあります。昼食をとりにレストランに行くと，ウエイターが「何にいたしますか？」と聞いてきます。私もウエイターも，私がメニューの中から何か選んで答えるとわかっています。そこで，クラブハウスサンドにすると言ったら，それが私のところに運ばれてきて，結果的に私が食べるものになるだろうという想定から，私は「クラブハウスサンドにします」と答えるでしょう。私の発言は自己成就的です。それゆえ，私はそれ以外のものにすると言えたはずだ，ということも等しく真理なのです。

さて，そこでもしウエイターが「ターキーを切らしております」と言ってきたら，私はそのことを言おうとしていたかのごとく，「それじゃあ，クラブハウスサンドはやめようかな」とつけ加えるかもしれません（あたかも最初の注文が命令だったかのように「じゃあ，もってくるな」とはつけ加えません）。でも，そんながっかりするような状況が待ち受けていなければ，私は，自分が確かにクラブハウスサンドを食べると知ることになったでしょう。さらに，ずっとクラブハウスサンドを食べるつもりだったことも知ることになったでしょう。なぜなら，そのとき真であることは，その前の日，前の週，ひいては時の始まりのときまでさかのぼっても，すでに真だったからです。それを知っていたら，自分は間違って「ミートローフにします」と言ったかもしれない，と私は考えるのでしょうか？　もちろん，そんなことはありません。私は，自分が言うものを食べるのであって，ゆえに間違えることなく，何でも好きなことを言えるのです。

もし，ウエイターが超能力者で，私が昼食に食べるものをすでに知っているとしたら，おそらく憑《と》りつかれたような目つきをしながら，いかめしい調子で「あなたはクラブハウスサンドを食べることになっている」などと言って，私が選ぶものを命令してくるかもしれません。もちろん私は，そんな命令を出すウエイターのことを押しつけがましい人物だと見て，こっそりその店から抜け出し，ほかの店を探すでしょう。でも万一，ウエイターが予言しているのだとわかったら，自分はそんなふうに予測できる人間ではないと証明しようとして，ウエイターが言うのとは逆のことをしたい誘惑にかられるかもしれません。クラブハウスサンドが食べたいのに，ひねくれて「いや，ミートローフにします」と言いたくなってしまうというわけです。そうすると，ウエイターは私にミートローフをもってくることになり，超能力者のふりをやめなくてはならなくなりますからね。

でも，もしウエイターが本物の超能力者だったら，その予言は真に違いありません。そしてもし私が，ウエイターが超能力者で，ゆえにその予言が真であることを知っていたら，そのときは自分がクラブハウスサンドを注文することになっているのを知っているに違いありません。そのことを知っていることで，私はその件において選択肢を失うことになるでしょうか？　もし私がすでに，クラブハウスサンドを食べることになると本物の超能力者の権威でもって知らされていたら，どうやって昼食のメニューを自分で決めることができるのでしょう？

まあ，ウエイターがもし本物の超能力者だとして，私がクラブハウスサンドを食べると予言した場合，そのウエイターは私が逆のことを言わないことを知っているはずです。そうでなければ，私に別の料理をもってくるはめになり，その予言は誤りだったことになってしまいます。ウエイターはまた，私がクラブハウスサンド以外のものを食べると言うなら，それを私が確信していると

YOU WILL HAVE A CLUB SANDWICH
HOW DID HE KNOW THAT?
THAT'S JUST WHAT I WAS GOING TO SAY!

いうことも知っているに違いありません。つまり, 私がウエイターと逆のことを言わないのは，ただ私がクラブハウスサンドを食べたいと思っているからだということが（そして超能力者たちに反感を抱いているわけではないことも），ウエイターにはわかっているのです。そうでなければ，最初からクラブハウスサンドを予言することはなかったでしょう。つまりその場合，私はクラブハウスサンドを選ぼうとしているに違いないのです。

だから私は, ウエイターとは逆のことを言うことがないのです。私は本当にクラブハウスサンドが食べたい，そのことをウェイターは，予言するときに知っていたに違いありません。だからウエイターが「クラブハウスサンドですよね」と言えば，私は「今まさにそう言おうと思ってたんです！」と答えるでしょう。私の好みからして, それこそ本当に言おうとしていたことですからね。「ミートローフにします」と言わない理由は，そう言うことが偽であるからではなく，ミートローフはいらないからです。だって私はクラブハウスサンドの方が食べたいんですから。

同じように，私が仕事のあとにジムに行くつもりだという事実は，行くかどうかという私の決断を先取りするものにはなりません。たとえもしも私が，その日の物語を事前に読むことができていたとして，それが「5時に私はジムに行く」という話だったとしても，あたかも書かれていることの権威に従うかのように「ああ，それじゃあ，今日の夕方にジムに行くことになるから，荷物をまとめたほうがいいな」とは思わなかったでしょう。むしろ

「ちょうどそう考えようとしていたところだった」と思ったはずです。そう思ったのはなぜかというと，反対の選択も同じように確信をもって考えられることを知りつつ，それが本当であってほしかったからです。その考えはすでに予期されていたとはいえ，私が自分で下した決断でもあり，そしてもし5時になって同じ台詞《せりふ》を目にしたら，「ほら見ろ，自分はジムに行くんだ。それこそ自分が今朝決めたことであって，その通りに実行するんだ」と思うことでしょう。どちらの場合でも，書かれていたことに従っているわけではなく，反対の考えも等しく真になりえるゆえに，私の考えは依然として選択によるものなのです。

もちろん現実においては，私は，自分の未来の物語を読む必要はありません。ただ決断するだけでどうなるかわかるからです。しかし同時に，事前に書かれた私の一日の物語が，私の作者という役割に取って代わっていたわけでもありません。自分がしようと思うことを初めに想定したからこそ，それは私がすることの物語になっていたはずで，そう想定していなかったら，そうすることはなかったでしょうから。つまりそれは，自分の未来を思うままに想定することでその未来をつくり出している，私の物語だということになります。私がその作者であることを否定するのではなく，それを裏書きするものだと言えるでしょう。

6

物事を実現させる

自分の人生の作者になる――それで十分でしょうか？　それは，私の行動が過去の出来事によって決定づけられているという事実を変えるものでは決してありません。そしてその過去の出来事は，さらにその前の出来事によって決定づけられたもので，究極的には私が生まれる前にまでさかのぼります。

たとえ私が，これからとる行動について，何でも自分のしたいようにきちんと想定できたとしても，自分のしたいことを決定づけるのはそれ以前の出来事であり，それが私の想定を決定づけ，さらにそれが私のすることを決定づけることになります。ジムへ行くことが，ジムへ行くという想定によって引き起こされるとすれば，その想定は遅滞を避けたいという私の欲求に起因するものであり，そしてそれは私の健康への懸念から生じているもので，さらにそれは私の生まれつきの慎重さと健康的な育ち方からきていて，それをたどると私の両親の遺伝子と二人の育ち方に起因していて，そしてそれは……となるわけです。そうなると，おそらく私には，自分がジムのプールで泳いだ距離だとか，ウエイトリフティングで達成した重量だとかについて得意がる資格がなくなります。また，もしエクササイズをしなかったとしても，体の衰えは自分のせいだと気をもむ必要もおそらくないのでしょう。だって，私がそうさせているのではないとしたら，なぜ私がそうなることに責任をもたなければならないのでしょう？　さらに，もし物事が，私が関与しない事実や出来事によってすべて起こるのだとしたら，どうやって私は自分で物事を生じさせることができるのでしょうか？

私は物事を生じさせていると思われるかもしれませんが，そのことを脅《おびや》かすような原因の数々は，外に目を向けるまでもなく見つかります。私がジムに行く直接の原因には，私の肉体と精神の働き——それらには，遺伝，慎重さ，懸念，欲求，想定といったものが含まれますが——も含まれています。でも，これら一連の要素のどこに「私」がいるのでしょう？　私は，「機械仕掛けの神」（収拾がつかない場面に突如現れて都合よく事を収める，古代ギリシア劇に登場する神様）のように，複雑に絡み合った世の中の因果関係の外から，自分がその世界に介入しているように感じるとき，自分の行為に責任を感じます。しかし私の行為は因果関係がからみ合った糸によって制御されており，そしてその複雑な糸は，私の中で起こること，あるいは私を成す部分によって操られているのであって，私自身によって操られているわけではありません。

そうやって起こる私の動作は，さまざまな意味において，やはり私が行っていることによって成り立つことを否定はできません。神経インパルスがちょっと私のまぶたの筋肉を引っ張れば，私はまばたきをします。高熱や恐怖によって体が震えるとき，私は悪寒を感じます。驚くことで突然，横隔膜の収縮が起こり，はっと息をのみます。こうした原因は，それが引き起こすことなら何でも私がする，という意味で，私の代行を務めているといえます。

そうなのだけれど，私がこのような動作をしたところで，それに対して責任がある，ということにはなりません。自分がまばたきしたり，震えたり，息が詰まることを自分のせいにしたり，その責任を負ったりすることはできないのです。私は自分でそうしようとしているわけではなく，少なくとも，その責任を私が負わなくてはならないような形でその動作を起こしてはいません。それに対して，プールで10往復余分に泳いだり，5キロ余分に重量挙げしたりするときは，それに見合う成果を得ようと行動しているのです。しかしこうした行動もまた，私が先に述べたようなさまざまな原因に基づいて発生する，神経インパルスによってもたらされた筋肉の収縮から引き起こされているわけで，やはり，私が原因だということにはならないようです。

何か忘れていました。

ここまでで，私とは，記憶によってつながっているおかげで互いに「私」とみなすことのできる，ひと続きの束の間の主体であるとわかりました。しかし，神経インパルス，筋肉の収縮といった私が先に述べたものは，態度，感情，体験などの視点を具現化するものではなく，そこには主体がまったく存在していません。

言い換えれば，それらは主観的な現象ではなく，ゆえに，そういった意味での主体をまったくもたないのです。もし私が有する因果的効力が「私」からにじみ出るはずのものだったら，私は，自分が主体である原因，たとえば，健康を維持したいという欲求，あるいはエクササイズをしようという想定などの中に，それを見出そうとしているはずです。それらの効力は，間違いなく「私」の効力に相当するものだからです。

でも，ここで問題があります。その欲求と想定が私をジムに向かわせる原因であるとみなす場合，私はそれらの主体の観点からそう考えているわけではありません。むしろ，そこから少し距離を置いて，あたかも遠くから観察するかのように，それらを反省の対象にしていました。そしてそうだとすると，またしてもそれらが原因として私に取って代わっているように思われます。そこにある欲求や想定が私の行動を動機づけ，ここにいる私が受動的にそれらについて反省しているのです。私は脇に控えて，何もせずにいるようです。どうやったら，私はその行為に加われるのでしょう。

ときどき私は，動機となる感情に完全に浸《ひた》りきって押し流されてしまい，自分の行動を引き起こすそうした原因からまったく離れていないこともあります。自分が誰かに向かって怒鳴《どな》っていることに気づくまで，その動機となっている怒りを認識しなかったり，自分が誰かの視線を避けていることを自覚するまで，気後《おく》れしていることを意識しなかったりするのです。扉の開いた冷蔵庫の前に立つまで，空腹を感じることもないかもしれません。しかしこれらの無反省な行動の数々は，その行動の責任が明らかに自分にあるという，私が因果的効力をもっている場合の代表例ではなく，それどころか，私が自分の怒り，気後れ，空腹によって押し流されていたと判断されるような例なのです。ただ怒りが爆発しているだけではなく，自分は怒鳴ってまでいると感じられるときは，まず怒りという感情を認識し，それから怒りを表現する（怒鳴る）と決めたのです。

これは変です。自分の行動の原因になるということは，その背後にある動機の主体になることにあるものだと思っていました。しかし実際には，先ほど述べたような受動的な立場にあって，その動機に対して反省的な自覚があるとき，私がその行動を起こしているように思われます。私は最初，自分の動機を反省しているときは，反省するために動機から一歩引いているため，その動機は私の代わりにはなれないと言いました。そして次に，そうした動機への反省的な自覚が，私に行動を起こさせているものらしい，とも言いました。

その反省は，私が思っていたほど受動的ではない，ということは考えられないでしょうか。結局のところ，一歩引いた反省の観点まで引き下がることは，それ自体が一つの行為――心の行為です。その行為にはほとんど，あるいはまったく労力を要しないため，その背後にある動機に気づくのはまれですが，それでも必ず動機はあるはずです。

そう，その通り。でも，それはまた別の動機です。もし私が，さらにその動機からも一歩引いて反省できるのであれば，私は自分の行動を起こす原因に関与しないことになります。

またしても，その通りです。でも，私にはそれができないということがわかります。反省する動機から距離を置くことを想像しようとすると，実は距離を置いてはいなかったことに気づきます。その動機を反省すると，私は依然そこから行動を起こしていて，そしてそれゆえに，そこから決して完全には離れていないのです。そしておそらく，私が完全に距離を置くことができずにいるその動機こそ，その因果的効力の実体が「私」である，動機なのです。

今，前の段落を読み返してみましたが，自分でもよくわかりませんでした。私が言おうとしていることの具体的な例があるといいのですが……。

そういえば，バレエ教室でこんな例を見たことがあります。スタジオの壁一面に備わった鏡には，一人のダンサーの姿が映っていて，私はその動きを，ときに客観的に距離を置いて評しながら見ることができています。まるで遠くから自分を見ているかのようにその姿を眺めているとき，私は音楽とマッスルメモリー（筋肉が覚えていること）によって，ステップを成功させることができているのです。私はそのダンサーを，それが自分であるという実感をもたずに見ることができています。しかし，鏡に映ったその自分と目を合わせようとすると，その距離感はたちまち失われてしまいます。鏡の中にある目は明らかに私の目であり，その目を通じて私は目を見ています。そこで私は，自分がその眼差しの主体であると同時に，対象であることにも気づくのです。事実，その距離感は，視線が一致しなくても崩壊することがあります。たとえば，鏡に映る姿を自分で点検しようとしてステップを踏ん

だ途端，崩壊します。自分のステップを見たいと思いながらステップを踏むと，私はもう距離をとって見ていないのです。なぜなら私が見ているのは，私に見る気を起こさせているのと同じ欲求が，鏡の中で表現されたものだからです。鏡の中のダンサーは，自身の踊りを観察するために踊っているため，私は観察者の立場に後退して距離をとるという行為ができなくなっています。ダンサーの姿を見ていることと，自分がダンサーである感覚とが，もはや分離できなくなっているのです。

ステップを上手にこなす自分を見たいという欲求だけが，ステップを実行する背後にある動機ではありません。私は同時に，先生の指導に従い，音楽がもつ精神を表現したいとも思っています。自分がどうやっているか見たいという欲求は，他の動機を増大させ，修正する動機ともなります。ただし，そうした他の動機も，ただマッスルメモリーと音楽のみを通して私の体を動かし，私を傍観者にしておくこともできたのかもしれません。しかしその場合でも，ステップをこなす自分を見たいという欲求は，私が見る動作を生じさせることに関係していて，その欲求は私をも巻き込むものなのです。観察者の観点をとったとしても，観察される側の観点を私は取らない，ということにはなりません。

こうした事態を生み出すのに，鏡はあえて必要ではないかもしれません。テニスのサーブから，接待してくれた相手に対するお礼のあいさつに至るまで，何かをきれいな形で行うことでうまくこなそうとしているとき，私はいつも自分自身の動きを観察し，きれいな形とされているものと比較して，それに自分の身のこなしが合うように調整しています。もちろん，ときによっては，行儀よくやろうなどと考えなくても，礼儀として反射的にすんなり感謝の気持ちを示せることもあります。長年の習性で身についているために十分そつなくこなせることもあり，そういった習性が身につくように教えてくれた両親や先生たちのおかげだと，心から思います。でも，自分の行為を，自分が思う「上手なやり方」に適合させようとすると，その動作は，その基準に沿っている自分を見たいという欲求によって形作られることになります。私は，鏡の助けがなくとも，自分を批判する観察者がもつような動機から，そう振る舞っているところがあるわけです。私が考える「きちんとしたお礼の仕方」は，私が生み出したものだとはおそらく言えないものの，結果として生じてくる行動については，自分が自らやっているものとみなさずにはいられません。なぜなら私は，観察者の視点へと後退してその行動から距離をとることが，もはやできないからです。

こうした例は，少しは理解の助けになりますが，いまだ複雑ですし，特定の状況にのみ当てはまる話です。私個人が因果的効力をもっているという感覚が，もっと一般的な形で明らかになるものか，もう少し探る必要があるようです。

まもなく私は，水を飲みに席を立ちます。または，ただ立ち上がって脚を伸ばすだけかもしれません。ここで私がしないことは，「なぜ私は立ち上がるんだろう？」「私はどこに行くんだろう？」と，わざわざ問いただすことです。私はふだん何かするときに，少なくとも，自分が何をしようとするのか気づく準備もないまま，行動を始めることはありません。自分が何をするつもりなのか，基本的に知っておきたいからであり，それはおそらく，自分を振り返ってみるための最もありふれた動機です。

ときどき私は，階段を上り始めてみたものの，途中で自分が何をしようとしているのかわからなくなることがあります。上の階に向かっていることはもちろんわかっていますが，「どうしてだったかな？ スリッパを取りにいくんだっけ？ それとも昼寝しにいくんだったっけ？」と，立ち止まって考えるのです。

不思議なことに，階段を上り切ったところで自分が何をするのか見届けようと，そのまま上り続けると，自分の問いに答えることができなくなってしまいます。何かをしようとしていたのに，今となってはそれをしていないのです。そして今度は，自分が階段を上り始めたときに何をしようとしていたのか突き止めようとしています。残りの階段を上っていき，私が何をしようとしていたのかを確かめよう，なんてことを私は始めにしようとしていたはずがないので，そんなことをしてもまったく意味がないのです。

なぜ私は，自分が何をしようとしているのかわからないと気づいたときに，立ち止まるのでしょう？ その理由はもちろん，自分のすることがわからないということに，ひどく戸惑い混乱しているからです。まさに今，ここでの自分自身の行動のことなので，ほかのどんな混乱よりも戸惑いを感じます。階段の途中にいる時点で私は，これからどうなるのかわかるまで何もしないほうがよいと思うのです。そうすれば私は，自分が実際にそうすることで自分が何をしようとしているのか，わかるようになりますからね。

心づもりが必要だからといって，いつでも立ち止まって反省することが求められるわけではありません。たとえば私は通常，言葉が自然と口から出てくる準備ができていないときは何も発言しないのですが，だからといって，言いたいことをはっきりと述べる前に，口には出さずにまず言葉をまとめてみる，ということはしません。まずは自分自身に向けて言ってみたから，自分がこれから何を言うかわかっている，ということではないのです。ときには発言してから，「言おうとしたのはそういうことじゃないんだけど」と言ってしまうことがありますが，それは私が準備していた言葉を誤って発したからではありません。「言おうとしたのはそういうことじゃない」と言うときは通常，自分が言ったことを自分で聞いてみたところ，それが自分にとってすら，まだ言葉としてまとめてみた思考にはそぐわないと感じたときです。自分が口に出していることに不満を感じているため，不十分であるという印象を私はもつのです。

自分が話す番が来るのを待っているあいだによく，すでに自分が何を言おうとしているのかはっきりわかっているような感覚をもつことがあります。でも，この感覚はそもそも何なのでしょう。話しているうちに着地しようとしているキーワードやフレーズなどは頭にあるかもしれませんが，何一つ言葉を思い浮かべていない，ということもよくあります。私が何を言おうかわかっているということ，それは，（それが何なのかを言うことができる点で）何かを知っていることのようにも，思えます。しかし，自分が言おうとしていることがわかっているというのは，私が予知できると称していることを発言できる，という能力にすぎないものです。もし誰かが，私の話をさえぎったことを謝りながら「何を言おうとしていたんですか？」と聞いてきたら，私はただ最初からそれを言い直すだけでしょう。

つまり，自分が言おうとしていることがわかっているという感覚は，自然と口から出てくることを言う準備ができている，というある種の感触にほかならないのです。私は，その言葉をいまだまとめてはいないし，混乱せずに話すことができる感覚があることは確かなものの，自分が何を言うのか明確にわかっているわけではありません。私の中には，意識以前の語り手というものが存在していて，その語り手の言葉は，実際に私の口から発せられることではっきりと意識されます。その発言をすでに聞いている私は，「そう言いたかったんだよ」とあとで自分が賛成できることを言ってくれているその語り手を，基本的に信頼することができます。もし語り手が私の期待を裏切る場合，私は，階段を上っている途中にその理由がわからなくなって立ち止まるのと同じように，ただちに語り手が言うことをさえぎるのです。

ゆえに私は，会話の相手の耳に届かせようとするためだけにしゃべっているのではありません。私はまた，自分が話すことを聞こうと意識もしており，そしてその話の筋が通っていて，自分を含めた聞き手全員にとって道理にかなっているように聞こえるよう願っているのです。なかでも自分にとってそう聞こえて欲しいものです。自分が言うことに自分自身が満足できるというのが，私にとってはとりわけ重要だからです。私は意識的に自分を納得させようとはしていません。通常，自分の発言はおおよそ自分が言おうとしていることになるはずだと信じ，ただ言葉を発しているという自覚があるだけで，言い間違えても，言い直したり撤回したりすればいいと思っています。なので，私が唯一，意識的にコントロールしているものがあるとすれば，それは監督のような作業なのです。

しかし無意識にも，発言において監督されているという感覚が私の中に宿っていて，深く考えずにしゃべっているものの，あとから何か気づくことがあるかもしれないという予測を，無意識のうちにしています。無意識にテーブルや椅子《いす》にぶつからないように歩くのと同じで，無意識のうちに，自分のしゃべりに不満が出てこないように話しているのです。そうした事態を避けようと，とくに注意しているわけではありませんが，大体において回避できているのがまったくの偶然だ，というわけではありません。

ほかの活動にもこれらの反省を当てはめてみると，同じように多くのことが深慮とは無縁であることに気づきます。私は今，自分のデスクに着いていながら，ときどき立ち上がって廊下をうろうろしたり，メールをチェックしたり，窓の外を眺めたりと，さまざまな行動をとっていますが，自分がそうしていることに気づいても，とくに躊躇《ちゅうちょ》しないとわかっていることばかりです。これよりもあっちをしようなどと決めているわけでもありません。もっともここでの「決める」というのは，前向きな決断は一切伴わないような，「躊躇を恐れずにやる」ことを意味しない場合ですが。

しかし，こうした状況における習慣的ではない行動については，受動的に監督のような作業を行うだけでは事足りません。今のところ私は，気づけば自分がそういう行動をとっているという状況は見込んでいないので，自分が何をするのかわからない状態に陥ることのないよう，事前に自分の行動を考え，備えておく必要があります。私は今日の夕方，自分がまもなくオフィスを発つと見込んだ直後までは，ジムには向かうことはありません。廊下をうろうろするのとは違って，その日の仕事を終えてオフィスを立ち去るという行為は，自分がそうすることをずっと準備しているような類のものではありません。私はすでに，ある時点で自分がオフィスを発つとわかっていますが，自分がいつ発ってもおかしくないとは思っていないのです。それは，「自分はこれから何をするんだろう」と迷ってしまうリスクを避けるため，次にすることを考えておかなければならない，というようなものです。そうした具合に迷ってしまうのではなく，「さあ，これからジムに向かうぞ」と，自分の計画を最終更新するのです。

そして，ジムに向かうのは，私が次にすることとして心得ていたことなので，結果的に「なぜ私はオフィスを発たないのか」と思うようなことがないよう，立ち上がってオフィスを発ちます。オフィスを発つという考えは，こうして自己成就します。事実，今朝《けさ》私がこの計画を思い立ったとき，計画はこうやって自己成就されるだろうと私はわかっていました。「今，オフィスを発つ」という最終更新が，そこでそう考えることによってオフィスを発つように私を仕向けるはずだと，私にはわかっていたのです。

こういった種類の計画的な行為は，私がただ監督するだけの行為とは異なっているように感じられます。それは，バレエのステップを踏んでいる自分をただ見ることと，自分でチェックするためにステップを実演することとの相違に似ています。

私はよくソワソワしているとき，気づくと廊下をうろついているので，そのソワソワした気分が私をそうさせているように感じられます。私がその行為を始めたわけではないのです。それは落ち着かない気分そのものによって始まっているのですが，自分がそうしていることに気づいたところで，驚きもしなければ不思議にも思いません。この私の落ち着かない気分は，私が鏡の中で遠くから眺めるバレエのステップを突き動かしている，マッスルメモリーみたいなものです。一方で，ジムに向かうように私を誘発するのは，「今，オフィスを発つ」という思いと，その想定を思いつき，実証する私の動機です。この動機は，私の行動を引き起こすべく，私を巻き込んでいるように思えますが，その点で上記のソワソワした気分の例とは異なるものです。そして私はここにきて，それがなぜだかわかる気がします。それは反省を含んだ動機であり，バレエスタジオの鏡の中で私自身のためにステップを実演する動機と似たものです。

なぜ自分は廊下をうろついているのかと疑問に思うのかといえば，落ち着かない気分だから，というのが答えでしょう。しかしその問いに答える代わりに，なぜ自分がそれを尋ねているのか（自分が廊下をうろついているのはなぜか，と疑問に思うのはなぜか）という問いを続けるなら，その答えは，自分が何をしているのか把握したいから，ということになるでしょう。いずれかの問いに答えることで，自分がしていることのどちらか――廊下をうろついていること，または，それをなぜかと疑問に思うこと――を反省することになります。ただし，前者は私が廊下をうろつく動機についてであり，それは私が，一歩引いた反省の観点から考えられる問いです。一方，後者の問いは私の反省の動機についてであり，この場合は，前者の問いのように一歩引いて考えることができません。反省する動機から距離をとるためには，それ

を反省しなければならず，するとその動機はまだ，自己検証レンズの陰に隠れたままで，完全に対象化されないのです。というのも，私がその主体だからです。私は，自分が対象であるという感覚を保持しないまま，反省している自己を見ることは決してできないのです。

自分がすることを把握したいという反省の動機はまた，私が心構えができていないことをしないよう，潜在的に私を思いとどまらせる動機でもあります。それはさらに，自分の行動を想定することによって，そうするつもりでいるように私を仕向けたうえで，その行動を実行させるような他の動機を，抑制された状態から強化された状態へと転換します。要するに，自分の次の動きがまだ明確ではないときに，目下の決断に基づいて行動する動機になっているのです。だから私には，目下の決断に基づいて行動する際，自らの行動を引き起こしているような感覚をもつのです。つまり私は，そうした数ある動機のいずれからも自身を切り離せないため，私はその行為を引き起こすことに分かちがたく結びついていると言えます。私が物事を実現させるということは，言い換えれば，それを実現させる動機から距離をとることがまったくできずにいる，ということなのです。

動機が私の代わりとなって物事を実現させているというのは，奇妙な感じがします。さらに考えてみると，それは私が生まれた頃から私の中にずっとあった動機の在り方であって，私にとってとりわけ顕著な要素となっているこの世界を理解したいという，生まれながらの衝動でもあるのです。

私はふだん，自分の中にあるその衝動を意識していませんが，自分の子どもが初めて，握った拳を口の中に入れた瞬間，その子にその衝動が芽生えていることに気づいたのを覚えています。子どもはその瞬間から，目覚めているあいだはほぼずっと，自分を取り巻く世界がどんなふうになっているのか探り続けていました。私は，今となってはこの世界の物事がどうなっているのか大体わかっているので，そうした動機に絶えず振り回されるような世界にはもはやいませんが，何か思いもよらないようなことが起こったら，いつでもすぐにその探求に戻っていくことでしょう。

新生児の口の中の感覚と拳の感覚がぴったり合うような経験は，おそらく猫が自分の尻尾を追いかけているようなものでしょう。猫は「うわ！　これ，自分の尻尾だ」とは思いません。猫がそう思うには，自分が自分の尻尾を追いかけている生き物だということがわかっていなければなりませんが，猫は，自分が世の中にたくさんいる生き物の一種であり，視覚や触覚があって，それゆえに見たり感じることができるということも認識していないのです。子どもはいずれ，以上のことを感得し，そのときから「私」という一人称代名詞を使いこなす準備が整います。

私の娘は，そうした年齢に達する前に，よく私たちの方に腕を伸ばして「抱っこしてあげる！」と言ったものでした。それが，ふだん自分が抱っこされる前に聞いていた言葉だったからです。「抱っこして」という言葉を覚えるために，娘は私たちに抱っこされる子ども──実際のところ，抱っこされたいことを私たちにわかってほしい子ども──であることに気づかなければなりませんでした。そしてその時点で娘は，自分がこの世の生き物の一種であり，また，その生き物がこれから何をするのかわかっていたほうがいい，ということもわかっていたに違いありません。娘はそのとき，自分がすでにわかってはいないことに手を出さないことで，それがどうなるか把握できるということに気づくほんの一歩手前でした。いつもそうしていたからなのか，もしくは，まさにそうした想定の結果としてそうなると見込んでいたか，どちらかの理由からでしょう。

また，「魔の2歳」を迎えた娘のイヤイヤぶりは，新たに獲得した意志，つまり，目下の決断に基づいて行動するという新しい能力，を行使するにあたっての試行錯誤の結果だったのではないかと思っています。「靴は履かない」と決め込んだ娘は，「さあ靴を履こう」と思うことも同様に考えられるので，この決断はまだ選択上のものであるということがわかっていませんでした（他方で私たちの方はと言えば，娘に協力してもらう最も効果的な方法とは，自己成就することになる想定に娘を誘導しながら，「さあ，これから靴を履きますよ」と言うことだというのが，当初はわかっていませんでした）。

PICK YOU UP!

私の怒りが爆発して誰かに怒鳴りつけているときは，たいてい自分自身に「私は何をしているんだろう？」と問いかけがちです。何の答えも思い浮かばなければ，語気を弱めることでしょう。自分がどうして怒鳴っているのかすぐに気づいたとしても，態度に微妙な変化が訪れます。ここで私は，自分の怒りを表現し続けるべきか，黙るべきかを決めなくてはなりません。そして私は，感情をコントロールするよう努めることでしょう。我を忘れるのではなく，です。もしまだ自己抑制が働いていなくとも，少なくとも自分が怒鳴っている人であると認識できる程度まで，自分自身を鎮めていることでしょう。我を忘れているのか，それとも感情をコントロールできているのか，どちらが私の自己認識となるかは，ある種の「合成」となって，私がしようとすることを知ろうとする欲求に動機づけられて，決まります。そしてその欲求は，私の自己認識の原因を鑑みつつ，自己認識を定めるよう私を動機づけることになるのです。

怒鳴ったことを責められるべきなのか，それとも語気を弱めたことで褒《ほ》められるべきなのか，いまだによくわかりません。

でも，なぜこのどちらかの状態を引き起こしているような感覚が私にあるのか，わかりました。そう，自分がそうするときに，なぜあの都合よく降臨する神様，「機械仕掛けの神」のように感じられるのかが，わかったのです。まず私は，自分が次にすること——怒鳴り続けるのか，続けないのか——について，どんな事実も存在していないと感じます。なぜなら私は，どちらかをすると想定することにおいて正しいはずだからです。そして私は，自分がそのどちらかをすると想定し，部分的には自分が距離をとることができない動機から，そうするように自分を促します。私はどうやら，以前は何もなかったところに事実を生み出す原動力であるようです。

もちろん，私はその原動力と同一ではありません。私はただその主体の観点から逃れることができないのです。また私には，以前存在していなかった事実をつくり上げることはできません。ゆえにこの説明では，私を真正の「機械仕掛けの神」とみなすにはほど遠いです。ですが，自分の行為に対して完全に自分に責任があると感じるのは，私がその栄誉ある地位に就いていると思われるときだけなのです。

とすると，私にはやはり責任があるのでしょうか？

私であるということについて，だいぶわかってきたとはいうものの，これに関してはまだよくわからずにいます。賞賛あるいは責任に値するものについての私の概念——結局のところ，神という幻想のもとに生み出された概念——を見直す必要があるのかもしれません。そうすれば私は，責任が何を要求するのかについての別の基準に従って，さまざまな物事への責任を自分に負わせることができるのかもしれません。いや，私の責任の基準はそのままでもいいのかもしれないし，あるいは責任というものは，私が追い払うべき幻想なのかもしれません。私には，とにかくわからないのです。

7
愛されたいという思い

私は，私であることで愛されたいと思っています。

デイヴィッド・ヴェルマンだからではなく，です。この人も愛すべき存在であってほしいと，思ってはいますけれどね。でも，この者が愛すべき存在であるのは，デイヴィッド・ヴェルマンであるからでは，ありません。

こういうのはどうでしょう。「こんな私だから愛されたい」。いや，やっぱり違いますね。こんな私というのは，私の人生の中で変化してきて，これからも変化し続けます。私はかつて人づき合いのよい楽観的な人間でしたが，だんだんと内向的で気難しい人間になってきました。気のいい奴から気に障る奴へと進化を遂げた私に，幸いにも変わらぬ愛情を注いでくれる人たちがいて，この者たちの私への愛情は，変化する私の中にある，何か不変的なものを見てくれています。

このように変化する中で，私には愛されるに値するものが何もないのではないか，と正直不安に思います。私は，愛されるに値しないのであれば，愛されたくないと本当に思います。むしろ，私の中に何か愛されるに値するものがあって，それが私の愛される理由になっていてほしいと願っています。私であることで愛されたいというのは，「優れた自分」と言うべきものをもって，愛されたいという意味です。愛すべきでない私の下に，実のところ隠れて存在して欲しいと願っている，いやそう信じずにはいられないような，優れた自分です。でも，そんなものはどこにあるのでしょう。

　自分の価値として認められたいと願っていることについてじっくり考えると，とくにこれといった資質や功績などには目が向きません。私はただ，あたかも自分自身の傍に座って，自身自身をはっきり自覚するだけ，です。私が，他者に愛してもらう対象として差し出すべき自分とは，私が単に一人ぼっちでいるときではなく，私自身の傍にいて私自身と一緒にいるときに，孤独な姿を私に見せてくる自分なのです。

　私はときどき，自分と一緒にいるのに耐えられなくなることがあり，そういうときは愛される価値などないように感じます。私が自分自身と一緒にいるのが耐え難《がた》く思うときというのは，自分が意地悪だったり，不正直だったり，自《うぬ》惚《ぼ》れていたり――要するに，嫌な人になっているときです。つまり，私は善良であることで愛されたい，ということになるでしょうか？

　ところで，孤独な姿を私に見せてくる自分とは何でしょう。私に現れてくるものは，私の観点から経験される周りの場面と，その場面の中にいて，場面の観点となっている人物だけのように思われます。今このとき，その人物は，感じがよいわけでも立派なわけでもありません。にもかかわらず，じっと思索に耽《ふけ》る静かなひとときこそが，私が自分の中に自分の存在を最も感じるときであり，そしてそれこそが，私が他者に愛してもらえたらと思っている存在なのです。なぜなら，そういったひとときは，私がとくに何も取り繕《つくろ》うことのない，ただの私でいるときだからです。では，ただの私でいることで，どうやって愛されるに値する存在が導き出せるのでしょうか。 私がずっと言ってきたように，「私」というのはただの代名詞で，現在その「私」を使っている主体と，（その現在の主体が，「私」を過去から受け取ったり，未来へと手渡したりして使うことのできる）過去と未来の主体を指しています。私であることが代名詞の指示対象であることにすぎないのであれば，善良さの重み，ましてや愛の重みを支えるには，あまりにも実体を欠いたもののように思えます。

　しかし，私であることは，おそらくそれよりも大きな何かでしょう。なぜなら「私」という代名詞は，それを用いる人を指しているからこそ，それを使いこなせる生き物だけを指すことができるものだからです。猫のことを「彼」「彼女」「あいつ」あるいは「君《きみ》」とさえ呼べるかもしれませんが，決して「私」とは呼べません。「私」はただ，「私」を用いて自分を指している生き物であると自覚している生き物によって，したがってそうした生き物のためだけに，使うことができるのです。

　子どもの頃，ベッドに横たわって，なぜだろうと不思議に思いながら，「私は自分。自分は私」と言っていたのを鮮明に覚えています。こうした言葉は，構文上はまったくもって支離滅裂かもしれないですが，何か根源的なことを言い表していました。それは，この世に私という生き物がいて，私はそれを「自分」と呼んでいるという深い認識を顕《あら》わにしていたのです。私は，自分がその，自己を認識する生き物であるという事実に驚嘆しました。それはどんなに幸運なことなんでしょう！　この，主体としての「私」が対象としての「私自身」に対してもつ関係は，私が一人きりでいるときに顕著になります。この，「私」という主体と「自分」という対象のあいだの関係の中に，何らかの善良さが――愛するに値するものさえもが――存在し得るでしょうか。

　今まさに行き着いた，この主体と対象のあいだの関係は，私が物事を実現させているまさに現場といえます。潜在的に意味を解そうとする自分の発言の聞き手として，あるいは，動揺することがないように私の行動を潜在的に見張っている観察者として，はたまた，私の未来を可視化しようとする計画者や，計画や決断の実行者として――こうした役割すべてにおいて私は，距離を置くことのまったくない，反省的な視点となっているのです。その視点を活性化しようとする動機，つまり自分が何をするのか把握したいという欲求は，ゆえに原動力であり，それが私の世界に与える影響力は，まさしくほかでもない私によるものです。

　そこで，気になることがあります。私は一人の人として，その視点から，私の反省の対象を見ています。もちろんその人とは，その視点を有している人物ということなのですが，同時にまた，人間が一般的にもつ思考や感情，習性，特質などから，人間が一般的に行うようなことをする，一人の人として理解される生き物でもあるはずです。私には，自分がしようとすることを言い表すにあたって言葉を使うことができ，それを理解するための常識も備わっていますが，そうした言葉や常識は，私がほかの誰かを言い表したり，理解したりするのに使用するのと同じものです。この不可避的な反省の視点からすると，私という人は，その行動が，ほかの誰かの行動と同じ言葉でとらえられているに違いありません。

とすると，どうやら私の因果的効力は，私は自分の目には別の人として映ってしまうという，私の中の二元性から生じているようです。私自身に対するその視点は，それ自体では私を善良な人間にするには十分ではないものの，人の世界の中での一人の人として自分自身をとらえるよう導くので，もしかするとその第一歩になっているのかもしれません。このように一連の思考がつながっていき，それによって最終的に私は，私による他者の扱いと，他者による私の扱いのあいだにある，対称性を認識するようになるのです。

この黄金律は，「私である」というまさにその仕組みへと，刻み込むことができるでしょう。

しかし，私はもう，心の内側の鉱脈をこれ以上掘り下げていくことができないところまで来てしまいました。自分を他者の中にいる一人の人として見ることによって，私が善良な者となり，さらには愛されるに値する者にまでなれる，ということを理解するために，私は，自分自身を超えた自分と他者とのやりとりに目を向ける必要がありそうです。一人きりの反省ではできないことを学ばなくてはならないのでしょう。そういったわけで，ひとまずここで筆をおくことにします（我そう思う，ゆえに我筆をおく）。

おすすめの本

Harry Frankfurt, *The Importance of What We Care About* (Cambridge: Cambridge University Press, 1998).

Thomas Nagel, *The View from Nowhere* (Oxford: Oxford University Press, 1986).

John Perry, *A Dialog on Personal Identity and Immortality* (Indianapolis: Hackett, 1978).

J. David Velleman, *How We Get Along* (Cambridge: Cambridge University Press, 2009).

J. David Velleman, *Self to Self* (Cambridge: Cambridge University Press, 2005).

Bernard Williams, *Problems of the Self* (Cambridge: Cambridge University Press, 1973).

謝辞

本書の草稿に意見をくださった，リンダ・ワイマー・ブラケル，マイケル・ブラットマン，キティ・ブリッジズ，ジェニファー・チャーチ，ダニエラ・ドーヴァー，デイヴィッド・V・ジョンソン，ミッシェル・カシュ，テッド・ローレンス，ジェシカ・モス，ルーシー・オブライエン，デイヴィッド・オーウェンズ，デイヴィッド・サトラン，マッティ・シルバースタイン，シャロン・ストリート，ダン・ヴェルマン，ポール・ヴェルマン，スーザン・ウルフ各氏に心より感謝いたします。とくにプリンストン大学出版局の哲学部門の編集者マット・ロハル氏には，励ましとご指導をいただき，誠にお世話になりました。また，本書執筆にあたり，学期休暇を与えてくださったニューヨーク大学哲学科および教養学部にも御礼を申し上げます。

■著者

J・デイヴィッド・ヴェルマン／J. David Velleman

ジョンズホプキンス大学の哲学教授。オンラインの学術誌『*Philosophers' Imprint*』の創刊者，編集者。2020年までニューヨーク大学の哲学と生命倫理学の教授を務める。著書に『*How We Get Along*』『*Self to Self : Selected Essays*』（いずれもCambridge University Press）などがある。ニューヨーク在住。

■監訳者

青木滋之／あおき・しげゆき

中央大学文学部教授。博士。1974年，神奈川県生まれ。京都大学文学部卒業。京都大学人間・環境学研究科博士課程修了。共著に，『原子論の可能性』（法政大学出版局）『大学におけるアクティブ・ラーニングの現在』（ナカニシヤ出版）『ダーウィンと進化論の哲学』（勁草書房）などがある。

■訳者

黒澤里吏／くろさわ・さとり

武蔵大学人文学部卒業。編集プロダクション勤務を経てライター，編集者，校正者として情報誌，広告，教育関連書などの制作に携わる。渡英後，制作会社で翻訳出版物の編集に従事。リンギスト，翻訳者として独立後，幅広い分野の翻訳および編集を手がける。ロンドン在住。

オン・ビーイング・ミー
～「私」って何？～

A Personal Invitation to Philosophy

2021年1月15日発行

著者　J・デイヴィッド・ヴェルマン
監訳者　青木滋之
訳者　黒澤里吏
翻訳協力　Butterfly Brand Consulting
編集協力　松川琢哉
編集　道地恵介
表紙デザイン　岩本陽一
発行者　高森康雄
発行所　株式会社 ニュートンプレス
〒112-0012　東京都文京区大塚 3-11-6
https://www.newtonpress.co.jp

ISBN 978-4-315-52314-0
